Osc

Dello stesso autore

nella collezione Oscar

Aforismi
L'arredamento della casa e altre conferenze
Autobiografia di un dandy
Ballata del carcere e altre poesie
I capolavori di Oscar Wilde
La decadenza della menzogna
De Profundis
L'importanza di essere onesto
Il Principe Felice e altre storie
Il ritratto di Dorian Gray
L'Usignolo e la Rosa

Oscar Wilde

IL FANTASMA DI CANTERVILLE

e altri racconti

Traduzione di Alex R. Falzon

con uno scritto di Jorge Luis Borges

OSCAR MONDADORI

Titolo originale dell'opera: *Lord Arthur Savile's Crime and Other Stories*
La traduzione dello scritto introduttivo di Jorge Luis Borges,
di Francesco Tentori Montalto, è riprodotta per gentile concessione
della Giangiacomo Feltrinelli Editore S.p.A.

I edizione Oscar classici febbraio 1987

ISBN 978-88-04-49291-7

Questo volume è stato stampato
presso Mondadori Printing S.p.A.
Stabilimento NSM - Cles (TN)
Stampato in Italia - Printed in Italy

Ristampe:

25 26 27 28 29 30 31

2007 2008 2009 2010

www.librimondadori.it

Su Oscar Wilde*

di Jorge Luis Borges

Menzionare il nome di Wilde significa menzionare un *dandy* che fu anche poeta, evocare l'immagine di un gentiluomo votato al povero proposito di stupire con cravatte e metafore. Significa inoltre evocare la nozione dell'arte come giuoco eletto o segreto – alla maniera degli arazzi di Hugh Vereker e di Stefan George – e del poeta come laborioso *monstrorum artifex* (Plinio, XXVIII, 2). Significa evocare lo stanco crepuscolo del secolo XIX e quell'oppressiva pompa di serra o di ballo mascherato. Nessuna di codeste evocazioni è falsa, ma tutte corrispondono, sostengo, a verità parziali e contraddicono, o trascurano, fatti evidenti.

Consideriamo, ad esempio, la nozione che Wilde fosse una specie di simbolista. Numerose circostanze la rafforzano: Wilde, intorno al 1881, capeggiò gli esteti e dieci anni dopo i decadenti; Rebecca West perfidamente lo accusa (*Henry James*, III) d'imporre all'ultima di queste sette «il marchio della classe media»; il vocabolario del poema *The Sphinx* è studiosamente magnifico; Wilde fu amico di Schwob e di Mallarmé. La confuta un fatto fondamentale: tanto

* Lo scritto qui riportato è tratto da: Jorge Luis Borges, *Altre inquisizioni*, in Jorge Luis Borges, *Tutte le opere*, vol. I, a cura di Domenico Porzio, Mondadori, Milano 1984, pp. 981-984 (trad. it. di Francesco Tentori Montalto).

nei versi quanto nella prosa, la sintassi di Wilde è sempre semplicissima. Dei molti scrittori inglesi, nessuno è tanto accessibile agli stranieri. Lettori incapaci di decifrare un paragrafo di Kipling o una strofa di William Morris cominciano e finiscono nello stesso pomeriggio *Lady Windermere's Fan*. La metrica di Wilde è spontanea e vuole apparire tale; la sua opera non racchiude un solo verso sperimentale, come questo duro e sapiente alessandrino di Lionel Johnson: «*Alone with Christ, desolate else, left by mankind*».

Lo scarso rilievo *tecnico* di Wilde può essere un argomento a favore della sua grandezza intrinseca. Se l'opera di Wilde corrispondesse all'indole della sua fama, essa sarebbe composta di soli artificî del tipo di *Les Palais Nomades* o di *I crepuscoli del Giardino*. Nell'opera di Wilde tali artificî abbondano – ricordiamo l'undicesimo capitolo di *Dorian Gray* o *The Harlot's House* o *Symphony in Yellow* – ma la loro natura accessoria è evidente. Wilde può fare a meno di quel *purple patches* (brandelli di porpora), frase di cui Ricketts e Hesketh Pearson gli attribuiscono la paternità, ma che già appare nell'esordio dell'epistola ai Pisoni. L'attribuzione prova la consuetudine di connettere al nome di Wilde la nozione di pezzi decorativi.

Leggendo e rileggendo, nel corso degli anni, Wilde, noto un fatto che i suoi panegiristi non sembra abbiano neppure sospettato: il fatto documentabile ed elementare che Wilde, quasi sempre, ha ragione. *The Soul of Man under Socialism* non solo è eloquente; è anche giusto. Le note miscellanee che prodigò nella «Pall Mall Gazette» e nello «Speaker» abbondano di perspicue osservazioni che vanno oltre le migliori possibilità di Leslie Stephen o di Saintsbury. Wilde è stato accusato di dar vita a una sorta di arte

combinatoria, alla Raimondo Lullo; ciò può essere applicato, forse, a taluno dei suoi scherzi («uno di quei volti britannici che, visti una volta, si dimenticano sempre»), ma non al giudizio che la musica ci rivela un passato sconosciuto e forse reale (*The Critic as Artist*) o a quello che tutti gli uomini uccidono la cosa che amano (*The Ballad of Reading Gaol*) o all'altro che pentirsi di un atto equivale a modificare il passato (*De Profundis*) o a quello,* non indegno di Léon Bloy o di Swedenborg, che non c'è uomo che non sia, in ogni momento, ciò ch'è stato e ciò che sarà (*ibid.*). Non trascrivo queste righe per edificazione del lettore; le cito come indizî di una mentalità molto diversa da quella che, generalmente, si attribuisce a Wilde. Questi, se non m'inganno, fu molto di più di un Moréas irlandese: fu un uomo del secolo XIX, che talora accondiscese ai giuochi del simbolismo. Come Gibbon, come Johnson, come Voltaire, fu un uomo d'ingegno, che per di più aveva ragione. Fu, «per dire insomma parole fatali, classico».** Dette al secolo quel che il secolo esigeva – *comédies larmoyantes* per i più e arabeschi verbali per i meno – e fece queste cose dissimili con una sorta di negligente felicità. Gli ha nociuto la perfezione; la sua opera è tanto armoniosa che può sembrare inevitabile e perfino ovvia. Si stenta a immaginare il mondo senza gli epigrammi di Wilde; questa difficoltà non li rende meno plausibili.

Un'osservazione marginale. Il nome di Oscar Wilde

* Confronta la curiosa tesi di Leibniz, che tanto scandalo produsse in Arnaud: «La nozione di ogni individuo racchiude "a priori" tutti i fatti che gli accadranno». Secondo codesto fatalismo dialettico, il fatto che Alessandro il Grande sarebbe morto a Babilonia è una qualità di quel re, come la superbia.

L'espressione è di Reyes, che l'applica all'uomo messicano (*Reloj de Sol*).

è legato alle città della pianura; la sua gloria, alla condanna e al carcere. Tuttavia (questo lo ha sentito chiaramente Hesketh Pearson) il sapore fondamentale della sua opera è la felicità. Mentre la pregevole opera di Chesterton, prototipo della sanità fisica e morale, è sempre sul punto di mutarsi in un incubo. La insidiano il diabolico e l'orrore; può assumere, nella pagina più innocua, le forme dello spavento. Chesterton è un uomo che vuole riacquistare la fanciullezza; Wilde, un uomo che conserva, nonostante le abitudini del male e della sventura, un'invulnerabile innocenza.

Come Chesterton, come Lang, come Boswell, Wilde è di quei fortunati che possono fare a meno dell'approvazione della critica e anche, a volte, di quella del lettore, poiché il piacere che ci offre la sua compagnia è irresistibile e costante.

[1946]

Cronologia

1854
A Dublino nasce il 16 ottobre Oscar Fingal O'Flahertie Wills Wilde. Il padre William è un importante oculista, autore di studi sulla storia locale e di raccolte di storie e leggende popolari irlandesi; la madre Jane Francesca Elgee pubblica poesie e componimenti patriottici sotto lo pseudonimo di «Speranza». Oscar è il secondogenito della famiglia dopo William «Willie» Charles Kinsbury, nato il 26 settembre 1852, e prima di Isola Emily Francesca, nata il 2 aprile 1855; il padre però può contare almeno altri tre figli illegittimi e, pur essendo un noto filantropo (addirittura insignito nel 1864 del titolo di baronetto), sarà anche in seguito coinvolto in scandali e pettegolezzi. Il salotto della famiglia Wilde è il ritrovo degli intellettuali e della buona società dublinese: un ambiente culturale, quindi, molto vivo e un ambiente familiare «tipicamente» ipocrita, che non potranno non influire sullo spirito del giovane Oscar.

1864
Willie e Oscar entrano nella prestigiosa Portora Royal School di Enniskillen.

1867
La morte di Isola addolora profondamente la famiglia e Oscar in particolare.

1871
Oscar si diploma con il massimo dei voti alla Portora e ottiene anche una Royal School Scholarship per il Trinity

College di Dublino. Qui continua a distinguersi nelle materie classiche, collezionando successi e riconoscimenti.

1875
Vince una borsa di studio per il Magdalen College di Oxford, dove si reca a studiare *Litterae Humaniora* (iter comprendente lettere classiche, storia, filosofia e filologia). Qui, oltre che per la brillantezza dei risultati, si fa notare per le pose da esteta: è il Wilde che muove i primi passi nella costruzione del suo personaggio. Nell'estate del 1875 passa le vacanze in Italia con John Pentland Mahaffy, già suo professore di greco a Dublino.

1876
Il 19 aprile muore Sir William Wilde, lasciando la famiglia in una situazione finanziaria particolarmente difficile.

1877
In primavera, partito per l'Italia, prosegue con Mahaffy fino in Grecia. Torna al College con un mese di ritardo rispetto alla fine delle vacanze: viene multato e sospeso per un trimestre. Scrive una recensione della mostra alla Grosvenor Gallery per il «Dublin University Magazine»: il suo primo scritto in prosa pubblicato.

1878
Vince il premio Newdigate di poesia con la composizione *Ravenna*, città visitata l'anno precedente. Il 19 giugno si laurea e il 28 novembre ottiene il titolo di Bachelor of Arts, tra le lodi dei docenti. Con questi successi, Oscar chiude la sua esperienza universitaria.

1879
Vive a Londra con il coetaneo Frank Miles, pittore e ritrattista ormai affermato. Pubblica poesie su varie riviste e fa il suo debutto in società, regalando omaggi alle primedonne che incontra e una pioggia di battute alla nuova e migliore platea della capitale.

1880
La prima commedia, *Vera: or The Nichilists*, Oscar la pubblica a proprie spese. È ormai un personaggio pubblico, costantemente ridicolizzato dalle caricature del giornale satirico «Punch», come emblema della moda «ultrestetica» e ostentatamente anticonformista di tanti intellettuali.

1881
Esce *Poems*, la prima raccolta di versi, molto reclamizzata ma dallo scarso successo di critica. Litiga con Miles e va a vivere con la madre, nel frattempo trasferitasi a Londra. Gilbert e Sullivan lanciano la loro operetta *Patience*, pungente satira del movimento estetico; il pubblico pensa a Wilde, quando vede in scena il sospirante poeta Reginald Bunthorne: per Oscar è una sorta di «consacrazione» e l'impresario Richard D'Oyly Carte gli propone di introdurre ogni rappresentazione della tournée americana, prevista per l'anno successivo. Naturalmente egli accetta e appronta il *suo* «costume di scena», quello delle tante immagini che ce lo mostrano trasognato in giacca di velluto o avvolto da un cappotto foderato di pelliccia. Il 24 dicembre parte per un viaggio di un anno, costellato da una miriade di conferenze e interviste per una platea ancora più grande che Oscar non delude.

1883
Febbraio e marzo li passa a Parigi, all'Hôtel Voltaire. Scrive il poemetto *The Sphinx* e la tragedia *The Duchess of Padua*; l'attrice Mary Anderson, che gliel'ha commissionata, non ne è però soddisfatta e non gli corrisponde che 1000 dei 5000 dollari pattuiti. A New York, in agosto, viene allestita *Vera*: un fiasco. Da settembre, Oscar riparte per un giro di conferenze in Inghilterra sullo stile, l'arte e le esperienze americane. A Dublino, il 26 novembre, si fidanza con Constance Lloyd.

1884
Il matrimonio si celebra il 29 maggio a Londra; poco dopo il viaggio di nozze a Parigi e a Dieppe, ultimata la restaurazione di una casa che doveva essere *il* modello dell'eleganza moderna, gli sposi si sistemano in Tite Street.

1885
Il 5 giugno nasce il primogenito Cyril. Oscar è ora padre. Non trovando un «posto fisso», collabora, per lo più anonimamente, a varie testate come critico letterario e compone poesie.

1886
Pubblica i racconti *The Ghost of Canterville* e *Lord Arthur Savile's Crime*. Il 5 novembre nasce Vyvyan: il ruolo di «buon padre di famiglia», però, mal si attaglia a Oscar, che inizia a essere sempre più latitante. A Oxford conosce il diciassettenne Robert Ross: è lui, a suo dire, che introduce Wilde all'amore omosessuale.

1887
Inizia a dirigere la rivista «The Woman's World».

1888
Esce *The Happy Prince and Other Tales*, il suo primo libro di fiabe, con le illustrazioni di Walter Crane.

1889
Dimessosi dalla direzione della rivista femminile, Oscar pubblica *The Portrait of Mr W.H.* e *The Decay of Living* sul «Blackwood's Magazine». Conosce e frequenta il poeta John Gray, il cui cognome immortala nel racconto dell'anno successivo.

1890
Il 20 giugno esce sul «Lippincott's» *The Picture of Dorian Gray*, suscitando scalpore e polemiche. Per tutta risposta, Oscar si difende affermando l'indipendenza dell'arte dalla morale. Sul «The Nineteenth Century» pubblica il dialogo poi reintitolato *The Critic as Artist*.

1891
A New York va in scena *The Duchess of Padua*, cui è stato cambiato il titolo in *Guido Ferranti*: un altro fiasco. È però in questo anno che compaiono i maggiori lavori di Wilde:

The Soul Man Under Socialism e il volume di saggi *Intentions*, la raccolta *The Arthur Savile's Crime and Other Stories*, il secondo libro di fiabe *The House of Pomegranates*, l'edizione accresciuta in volume di *The Picture of Dorian Gray*. Oscar ha riconquistato la ribalta, tra gli osanna e le polemiche, che alimenta e combatte con lettere e interventi. D'estate conosce Lord Alfred Douglas, detto «Bosie», aristocratico rampollo scozzese, poeta, studente a Oxford, ma, soprattutto, l'amore della vita di Oscar. La fine dell'anno la passa a Parigi, dove conosce André Gide e scrive di getto, in francese, *Salomè*.

1892
Arriva finalmente il trionfo con *Lady Windermere's Fan*: il genere della commedia brillante francese è stato da Oscar rivisto e corretto per l'Inghilterra. I guadagni lo inducono a proseguire sulla via del teatro. L'allestimento di *Salomè* viene però bloccato dal Lord Ciambellano, che, rifacendosi a una legge vecchia di trecento anni, vieta la rappresentazione di personaggi biblici sulle scene. Oscar protesta, grida alla persecuzione, scrive ai giornali e alla fine si ritira in campagna per l'estate, dove scrive *A Woman of No Importance*.

1893
Salomè è pubblicata in francese il 22 febbraio, *A Woman of No Importance* viene rappresentata il 19 aprile: due successi. Oscar si assenta sempre più spesso dalla famiglia: affitta una casa in campagna o camere in albergo, dove però non scrive, ma frequenta Bosie o altri giovani avventurieri. D'estate prende con Bosie una casa a Goring, dove finalmente lavora a *An Ideal Husband*. Il padre di Bosie, il Marchese di Queensberry, manda però il figlio in Egitto, al Cairo, per stroncare la sua relazione con Oscar.

1894
Il 9 febbraio esce *Salomè* in versione inglese, dedicata a Bosie, che ne aveva preparato una traduzione, però non utilizzata. Oscar vorrebbe rompere con lui, ma il giovane riesce a farsi riaccettare: torna dall'Africa, viaggiano a Pa-

rigi e tornano insieme a Londra. Queensberry diventa un cruccio costante per i due, arrivando a minacciare fisicamente Oscar; questa e altre difficoltà, non ultimo il carattere capriccioso di Bosie, rendono il rapporto sempre più travagliato e sempre più circondato di pettegolezzi: esce il romanzo *The Green Carnation* di Robert Hichens, che ritrae parodisticamente il loro amore. A Worthing Oscar lavora a *The Importance of Being Earnest*.

1895
In gennaio debutta *An Ideal Husband* (riscuotendo grande successo), iniziano le prove di *The Importance of Being Earnest*, Oscar e Bosie partono per l'Algeria (dove incontrano e coinvolgono nelle loro avventure anche Gide), e Constance, la signora Wilde, cade dalle scale di casa (un incidente grave, come purtroppo solo in seguito si scoprirà). Il 14 febbraio debutta *The Importance of Being Earnest*: un nuovo successo. Il 18 febbraio è l'inizio dell'*affaire Wilde*: la rappresentazione passa dalle scene alla realtà e non è più una commedia brillante. Lord Queensberry lascia presso l'Albermale Club un biglietto in cui accusa Oscar di «atteggiarsi a sodomita». Egli allora, consigliato da Bosie, lo denuncia per diffamazione e Queensberry viene arrestato il primo marzo: il processo è fissato per il 3 aprile. Là Wilde passa da accusante ad accusato: certo, molte sono state le persecuzioni che ha subito da parte dell'imputato, ma da alcuni anni è in vigore la legge che punisce severamente gli atti omosessuali tra gli uomini, atti che Oscar avrebbe effettivamente compiuto, come attesta la schiera di testimoni chiamati a deporre dalla difesa: le accuse di Queensberry si rivelano dunque fondate. Edward Clarke, l'avvocato di Wilde, ritira la querela. Non essendosi deciso a espatriare per sottrarsi all'arresto, come gli amici gli consigliano, Oscar viene rinchiuso il 5 aprile nel carcere di Holloway. Non gli viene concessa la libertà su cauzione e tutti i creditori si fanno avanti: essendo state tolte dal cartellone tutte le sue commedie, l'unica via è la svendita all'asta dei suoi beni, il 24 aprile. Il processo contro Oscar Wilde ha inizio il 26 aprile e si conclude il primo maggio: la giuria non si ritiene in grado di emettere un

verdetto e gli concede il rilascio su cauzione per 5000 sterline, pagate dagli amici. Va a vivere dalla madre e dal fratello. Due anni di carcere duro, il massimo della pena, è quello che il giudice del secondo processo (20-25 maggio) commina a lui e ad Alfred Taylor, lenone dei festini di Oscar, coinvolto dalle testimonianze. I giornali accolgono il verdetto con entusiasmo. Oscar è prima a Holloway, poi a Pentonville, a Wandsworth e infine a Reading.

1896
Il 3 febbraio muore la madre, l'11 va in scena a Parigi *Salomè*: non ci saranno altre rappresentazioni delle opere di Wilde mentre l'autore è ancora in vita. A luglio si insedia un nuovo governatore al carcere di Reading, J. O. Nelson, che dispensa Oscar dai lavori più pesanti e gli concede l'uso di carta e penna; inizia così la stesura del *De Prufundis*, lettera confessione a Bosie: non potendola spedire, la ritirerà al momento del rilascio.

1897
Il 19 maggio Oscar viene rilasciato: a Londra non ha più dove andare e chiede asilo a un monastero cattolico, che lo rifiuta. La sera stessa parte per la Francia con Ross, per non tornare mai più in Inghilterra. Il 26 maggio si stabilisce a Berneval-sur-Mer, vicino a Dieppe. A luglio compone *The Ballad of Reading Gaol.* Gli amici hanno raccolto per lui una piccola somma e la moglie Constance gli concede una minima rendita, a patto che non riveda più Bosie. Oscar accetta, ma il 28 agosto ritrova Bosie, dopo le sue estenuanti insistenze, e insieme partono prima per Parigi e poi per Napoli, dove si stabiliscono: Constance sospende gli emolumenti, Oscar frequenta teatri e caffè, Bosie, insofferente e volubile, lo lascia presto solo.

1898
Il 13 febbraio Oscar torna a Parigi, definitivamente. Nel frattempo esce, anonima, *The Ballad of Reading Gaol*, che ha un grande e inaspettato successo: questo però non basta a restituirgli la voglia e l'energia di lavorare. Il 7 aprile muore Constance, in seguito a un'operazione alla spina dorsale. Oscar e Bosie si incontrano sporadicamente.

1899

A febbraio è a Gland in Svizzera, ospite di Harold Mellor, ricco inglese conosciuto l'anno prima in Costa Azzurra. Il 13 marzo muore il fratello Willie. Ad aprile Oscar è a Santa Margherita Ligure, finisce nuovamente nei guai, e Ross va a riprenderlo e a riportarlo a Parigi, dove giungono il 7 maggio.

1900

Il 31 gennaio muore il Marchese di Queensberry. In aprile Mellor convince Oscar a seguirlo in Italia: Palermo, Napoli e Roma, dove giungono per Pasqua. Qui Wilde viene ricevuto da Leone XIII e incontra John Gray, l'amico e forse amante di un tempo, ora seminarista. Ritorna a Parigi a giugno. Viene ricoverato in settembre per l'aggravarsi dell'infezione dell'orecchio leso in carcere e operato il 10 ottobre. Il sipario cala sulla vita di Oscar Wilde all'Hôtel de l'Alsace, il 30 novembre. Ross, seguendo o intuendo le sue volontà, gli fa somministrare battesimo ed estrema unzione, quando è ormai già incosciente. Pochi amici accompagnano la bara al cimitero di Bagneaux; le spoglie verranno poi trasferite al Père-Lachaise.

Bibliografia essenziale

Opere

The Complete Works of Oscar Wilde, a cura di G.F. Maine, introduzione di M. Holland, Harper Collins, London 1994 (in italiano vedi: *Opere*, a cura di M. d'Amico, Mondadori, Milano 2000).

The Letters of Oscar Wilde, a cura di R. Hart-Davis, Hart-Davis, London 1962 (ed. it. a cura di M. d'Amico, *Vita di Oscar Wilde attraverso le lettere*, Einaudi, Torino 1977).

More Letters of Oscar Wilde, a cura di R. Hart-Davis, Murray, London 1985.

The Artist as a Critic: Critical Writings of Oscar Wilde, a cura di R. Ellmann, W.H. Allen, London 1970.

Bibliografie

S. Mason, *Bibliography of Oscar Wilde*, 1914, nuova edizione con introduzione di T. D'Arch Smith, Bertram Rota, London 1967.

E.H. Mikhail, *Oscar Wilde: An Annotated Bibliography of Criticism*, Rowman & Littlefield, Totowa (N.J.) 1978.

E.H. Mikhail, *Oscar Wilde: Interview and Recollections*, 2 voll., Macmillan, London 1979.

I. Small, *Oscar Wilde Revalued. An Essay on New Materials and Methods of Research*, ELT Press, Greensboro (N.C.) 1993.

Saggi biografici

K. Brandys, *Hôtel d'Alsace et autres adresses*, Gallimard, Paris 1992.

W. Cohen, *Sex Scandal. The Private Parts of Victorian Fiction*, Duke University Press, Durham-London 1996.

R. Croft-Cooke, *The Unrecorded Life of Oscar Wilde*, W.H. Allen, London 1972.

H. David, *On Queer Street: A social History of British Homosexuality 1895-1995*, Harper Collins, London 1997.

R. Ellmann, *Oscar Wilde*, Hamish Hamilton, London 1987 (trad. it. *Oscar Wilde*, Mondadori, Milano 2000).

J. Fryer, *André & Oscar: Gide, Wilde and the Gay Art of Living*, Allison & Busby, London 1999.

P.F. Gasparetto, *Oscar Wilde: l'importanza di essere diverso*, Sperling & Kupfer, Milano 1981.

A. Gide, in *Oscar Wilde: In memoriam (souvenirs). Le «De Prufundis»*, Mercure de France, Paris 1913 (trad. it. *Oscar Wilde: In memoriam. Il «De Prufundis»*, Archinto, Milano 1990).

A. Gide, *Oscar Wilde*, W. Kimber, London 1951.

J. Goodman (a cura di), *The Oscar Wilde File*, Allison & Busby, London 1988.

M. Holland, *The Wilde Album*, Fourth Estate, London 1997.

P. Jullian, *Oscar Wilde*, Granada Publishing, London 1971 (trad. it. *Oscar Wilde*, Einaudi, Torino 1972).

F. Mei, *Oscar Wilde*, Rusconi, Milano 1987.

H. Montgomery Hyde, *The Trial of Oscar Wilde*, Penguin, London 1962 (trad. it. *L'angelo sofisticato*, Mondadori, Milano 1966).

H. Montgomery Hyde, *Oscar Wilde, a Biography*, Methuen, London 1976.

H. Pearson, *The Life of Oscar Wilde*, Methuen, London 1946.

R. Sherard, *Oscar Wilde. The Story of an Unhappy Friendship*, Greening, London 1905.

R. Sherard, *Twenty Years in Paris*, Hutchinson, London 1905.

W.B. Yeats, *Autobiographies. Reveries Over Childhood and Youth and The Trembling of the Veil*, Macmillan, London 1926.

Saggi critici

M. Amendolara, *Indagine su Oscar Wilde*, Ripostes, Salerno 1994.

F.K. Baumann, *Oscar Wilde als Kritiker der Literatur*, Leemann, Zürich 1933.

K. Beckson (a cura di), *Oscar Wilde: The Critical Heritage*, Routledge & Kegan Paul, London 1970.

A. Bird, *The Plays of Oscar Wilde*, The Vision Press, London 1977.

B. Brasol, *Oscar Wilde: The Man - The Artist*, William & Norgate, London 1938.

M. d'Amico, *Oscar Wilde. Il critico e le sue maschere*, Istituto dell'Enciclopedia Italiana, Roma 1973.

M. d'Amico, *Dieci secoli di teatro inglese: 970-1980*, Mondadori, Milano 1981.

G. D'Elia, *Il quadro in movimento di Oscar Wilde*, ETS, Pisa 1985.

R. Ellmann (a cura di), *Oscar Wilde: A Collection of Critical Essays*, Prentice-Hall, New Jersey 1969.

S.J. Ervine, *Oscar Wilde: A Present Time Appraisal*, Allen & Unwin, London 1951.

A.J. Farmer, *Le mouvement estetique et «décadent» en Angleterre (1873-1900)*, Champion, Paris 1931.

B. Fehr, *Studien zu Oscar Wildes Gedichten*, Mayer & Müller, Berlin 1918.

M. Fido, *Oscar Wilde*, Viking Press, New York 1973.

G. Franci, *Il sistema del dandy: Wilde, Beardsley, Beerbohm*, Patron, Bologna 1977.

W. Gaunt, *The Aestetic Adventure*, Jonathan Cape, London 1945 (trad. it. *L'avventura estetica: saggio sul decadentismo nell'era vittoriana,* Einaudi, Torino 1962).

K. Hartley, *Oscar Wilde: l'influence française dans son œuvre*, Librairie du «Recueil Sirey», Paris 1935.

G. Hough, *The Last Romantics*, Duckworth, London 1949.

L.C. Ingleby, *Oscar Wilde*, T.W. Laurie, London 1907.

H. Jackson, *The Eighteen Nineties. A Review of Art and Ideas at the Close of the Nineteenth Century*, C. Richards, London 1913.

F. Kermode, *The Romantic Image*, Routledge & Kegan Paul, London 1957.
A. Lombardo, *La poesia inglese dall'estetismo al simbolismo*, Edizioni di storia e letteratura, Roma 1950.
R. Merle, *Oscar Wilde ou la destinée de l'homosexuel*, Gallimard, Paris 1955.
E.H. Mikhail, *The French Influence on Oscar Wilde's Comedies*, in «Revue de Littérature comparée», 42, 1968, pp. 220-233.
A. Ojala, *Aesteticism and Oscar Wilde*, Suomalaisen Kirjallisuuden Seuran Kirjapainon, Helsinki 1955.
K. Powell, *Oscar Wilde and the Theatre of the 1890's*, Cambridge University Press, Cambridge 1990.
M. Praz, *La carne, la morte e il diavolo nella letteratura romantica*, Sansoni, Firenze 1930.
M. Praz, *Il patto col serpente*, Mondadori, Milano 1972.
P. Raby, *Oscar Wilde*, Cambridge University Press, Cambridge 1988.
G.J. Renier, *Oscar Wilde*, P. Davies, London 1933.
L.M. Rosemblatt, *L'idée de l'art pour l'art dans la littérature anglaise pendant la période victorienne*, H. Champion, Paris 1931.
C.G. Sandulescu (a cura di), *Rediscovering Oscar Wilde*, Colin Smythe, Gerrard Cross 1994.
R. Shewan, *Oscar Wilde. Art and Egotism*, Macmillan, London 1977.
A. Symons, *The Symbolist Movement in Literature*, Constable, London 1918.
A. Symons, *A Study of Oscar Wilde*, C.J. Sawyer, London 1930.
R. Tanitch, *Oscar Wilde on Stage and Screen*, Methuen, London 1999.
W. Tydeman, *Wild: Comedies*, Macmillan, London 1982.
F. Winwar, *Oscar Wilde and the Yellow Nineties*, Blue Ribbon Books, New York 1941.
G. Woodcock, *The Paradox of Oscar Wilde*, T.V. Boardman, London-New York 1949.
G. Woodcock, *Anarchism. A History of Libertarian Ideas and Movements*, Meridian Books, Cleveland 1962.
K. Worth, *Oscar Wilde*, Macmillan, London 1983.

Il fantasma di Canterville
e altri racconti

Lord Arthur Savile's Crime
A Study of Duty

I

It was Lady Windermere's last reception before Easter, and Bentinck House was even more crowded than usual. Six Cabinet Ministers had come on from the Speaker's Levée in their stars and ribands, all the pretty women wore their smartest dresses, and at the end of the picture-gallery stood the Princess Sophia of Carlsrühe, a heavy Tartar-looking lady, with tiny black eyes and wonderful emeralds, talking bad French at the top of her voice, and laughing immoderately at everything that was said to her. It was certainly a wonderful medley of people. Gorgeous peeresses chatted affably to violent Radicals, popular

Il delitto di Lord Arthur Savile
Studio sul dovere

I

Era l'ultimo ricevimento di Lady Windermere prima di Pasqua, e Bentinck House era ancora più affollata del solito. Vi erano sei ministri del Consiglio appena usciti da una seduta ai Comuni,* appesantiti dalle loro molteplici decorazioni, e tutte le belle dame erano agghindate negli abiti da sera più superbi. All'estremità della pinacoteca era seduta la principessa Sophia di Carlsrühe, una corpulenta dama dall'aspetto tartaro,** con minuscoli occhi neri e splendidi smeraldi, la quale sbraitava in un pessimo francese e rideva smisuratamente di qualsiasi cosa le venisse riferita. Era davvero una stupefacente mescolanza di gente: sfarzose nobildonne chiacchieravano affabilmente con violenti radi-

* L'espressione «*from the Speaker's Levée*» (letteralmente «dalla Levée dello Speaker», cioè il presidente della Camera dei Comuni) ha una possibile intenzione parodistica se si pensa che la Levée indica di consueto, in senso proprio, l'udienza che il sovrano concedeva al mattino, al momento in cui si «levava», si alzava dal letto, mentre in senso lato si riferisce al momento in cui una signora del Bel Mondo, appena alzata, riceveva gli amici nel suo boudoir.
** I «minuscoli occhi neri» potrebbero indicare che Wilde usa l'espressione «*Tartar-looking*» in senso proprio (così come è stata tradotta), ma non si può escludere che egli pensasse anche, nel descrivere la «corpulenta dama», al significato figurato dell'espressione «*Tartar*» che, riferita a una donna, implica un aspetto e un carattere da temibile virago.

preachers brushed coat-tails with eminent sceptics, a perfect bevy of bishops kept following a stout prima-donna from room to room, on the staircase stood several Royal Academicians, disguised as artists, and it was said that at one time the supper-room was absolutely crammed with geniuses. In fact, it was one of Lady Windermere's best nights, and the Princess stayed till nearly half-past eleven.

As soon as she had gone, Lady Windermere returned to the picture-gallery, where a celebrated political economist was solemnly explaining the scientific theory of music to an indignant virtuoso from Hungary, and began to talk to the Duchess of Paisley. She looked wonderfully beautiful with her grand ivory throat, her large blue forget-me-not eyes, and her heavy coils of golden hair. *Or pur* they were – not that pale straw colour that nowadays usurps the gracious name of gold, but such gold as is woven into sunbeams or hidden in strange amber; and they gave to her face something of the frame of a saint, with not a little of the fascination of a sinner. She was a curious psychological study. Early in life she had discovered the important truth that nothing looks so like innocence as an indiscretion; and by a series of reckless escapades, half of them quite harmless, she had acquired all the privileges of a personality. She had more than once changed her husband; indeed, Debrett credits her with three marriages; but as she had never changed her lover, the world had long ago ceased to talk scandal about her. She was now forty

cali, predicatori alla mano sfioravano le loro code di rondine con quelle di eminenti filosofi scettici, un vero stormo di vescovi seguiva di sala in sala le orme di una robusta primadonna, sulle scale stavano vari membri dell'Accademia Reale travestiti da artisti, e si disse che a un certo punto la sala da pranzo era letteralmente stipata di geni. Si trattava in verità di una delle serate più riuscite di Lady Windermere, e la principessa vi si trattenne sin quasi alle undici e mezzo.

Non appena se ne fu andata, Lady Windermere ritornò nella pinacoteca dove un famoso economista politico stava solennemente spiegando la teoria scientifica della musica a un virtuoso ungherese dall'aria sdegnata, e lì incominciò a conversare con la duchessa di Paisley. Lady Windermere era meravigliosamente bella, con la sua stupenda gola d'avorio, con quegli occhi azzurri come la miosotide e i pesanti nodi di capelli d'oro. *Or pur* erano, non di quel pallido color paglierino che al giorno d'oggi usurpa il nobile nome dell'oro, ma di quell'oro di cui sono intessuti i raggi del sole e che si nasconde in un'ambra pregiata; le incorniciavano il viso dandogli l'aureola di una santa, con una punta del fascino di una peccatrice. Era un soggetto curioso, l'ideale per uno studio psicologico. Sin da ragazza aveva scoperto l'importante verità che nulla si avvicina all'innocenza quanto un po' di anticonformismo; e dopo una serie di spericolate avventure, metà delle quali assolutamente innocue, aveva acquisito tutti i privilegi di una spiccata personalità. Aveva cambiato marito più di una volta e, in effetti, Debrett* le accredita ben tre matrimoni, ma poiché non aveva mai cambiato amante, la gente aveva smesso da un pezzo di farne il bersaglio dei propri pettegolezzi. Quarantenne, non aveva figli ma posse-

* Il *Who's Who* dell'aristocrazia inglese.

years of age, childless, and with that inordinate passion for pleasure which is the secret of remaining young.

Suddenly she looked eagerly round the room, and said, in her clear contralto voice, 'Where is my cheiromantist?'

'Your what, Gladys?' exclaimed the Duchess, giving an involuntary start.

'My cheiromantist, Duchess; I can't live without him at present.'

'Dear Gladys! you are always so original,' murmured the Duchess, trying to remember what a cheiromantist really was, and hoping it was not the same as a cheiropodist.

'He comes to see my hand twice a week regularly,' continued Lady Windermere, 'and is most interesting about it.'

'Good heavens!' said the Duchess to herself, 'he is a sort of cheiropodist after all. How very dreadful. I hope he is a foreigner at any rate. It wouldn't be quite so bad then.'

'I must certainly introduce him to you.'

'Introduce him!' cried the Duchess; 'you don't mean to say he is here?' and she began looking about for a small tortoise-shell fan and a very tattered lace shawl, so as to be ready to go at a moment's notice.

'Of course he is here, I would not dream of giving a party without him. He tells me I have a pure psychic hand, and that if my thumb had been the least little bit shorter, I should have been a confirmed pessimist, and gone into a convent.'

'Oh, I see!' said the Duchess, feeling very much relieved; 'he tells fortunes, I suppose?'

'And misfortunes, too,' answered Lady Windermere, 'any amount of them. Next year, for instance, I am in great danger, both by land and sea, so I am going

deva quella sregolata passione per il piacere che è il segreto per rimanere giovani.

Improvvisamente si mise a guardare intensamente lungo la stanza e domandò con la sua chiara voce di contralto: «Dov'è il mio chiromante?».

«Il suo cosa, Gladys?» esclamò la duchessa, sobbalzando suo malgrado.

«Il mio chiromante, duchessa. Attualmente non riesco a farne a meno.»

«Cara Gladys! lei è sempre così originale!» mormorò la duchessa, cercando di ricordarsi cosa diavolo fosse un chiromante, e sperando che non si trattasse di un chiropodista.

«Viene qui regolarmente due volte alla settimana a esaminarmi la mano» proseguì Lady Windermere «e mi racconta delle cose molto, molto interessanti.»

"Dio mio!" disse tra sé la duchessa "Allora si tratta davvero di una specie di chiropodista. Che orrore! Speriamo almeno che sia straniero, in tal caso la cosa assumerebbe un tono meno sgradevole."

«Glielo presenterò senz'altro.»

«Presentarmelo!» gridò la duchessa «non intende mica dire che è qui?» E si guardò intorno alla ricerca di un piccolo ventaglio di tartaruga e di un logoro scialle di merletto, in modo da essere pronta ad andarsene da un momento all'altro.

«Ma certo che è qui. Non mi sognerei mai di dare un ricevimento senza di lui. Mi dice che ho una mano intensamente psichica, e che, se il mio pollice fosse stato solo un pochino più corto, sarei stata una pessimista inveterata e mi sarei rinchiusa in un convento.»

«Ah, capisco» disse la duchessa, molto sollevata «è uno che predice la fortuna, vero?»

«E anche le disgrazie» rispose Lady Windermere «senza risparmiarne una. L'anno prossimo, per esempio, mi troverò in grande pericolo, sia per terra

to live in a balloon, and draw up my dinner in a basket every evening. It is all written down on my little finger, or on the palm of my hand, I forget which.'

'But surely that is tempting Providence, Gladys.'

'My dear Duchess, surely Providence can resist temptation by this time. I think every one should have their hands told once a month, so as to know what not to do. Of course, one does it all the same, but it is so pleasant to be warned. Now, if some one doesn't go and fetch Mr Podgers at once, I shall have to go myself.'

'Let me go, Lady Windermere,' said a tall handsome young man, who was standing by, listening to the conversation with an amused smile.

'Thanks so much, Lord Arthur; but I am afraid you wouldn't recognise him.'

'If he is as wonderful as you say, Lady Windermere, I couldn't well miss him. Tell me what he is like, and I'll bring him to you at once.'

'Well, he is not a bit like a cheiromantist. I mean he is not mysterious, or esoteric, or romantic-looking. He is a little, stout man, with a funny, bald head, and great gold-rimmed spectacles; something between a family doctor and a country attorney. I'm really very sorry, but it is not my fault. People are so annoying. All my pianists look exactly like poets, and all my poets look exactly like pianists; and I remember last season asking a most dreadful conspirator to dinner, a man who had blown up ever so many people, and always wore a coat of mail, and carried a dagger up his shirt-sleeve; and do you know that when he came he looked just like a nice old clergyman, and cracked jokes all the evening? Of course, he was very amusing, and all

sia per mare, perciò ho deciso di vivere in una mongolfiera dove mi farò mandar su la cena ogni sera in un canestro. È tutto scritto sul mio dito mignolo, o sul palmo della mano, non ricordo bene.»

«Ma non crede di stare tentando la Provvidenza, Gladys?»

«Mia cara duchessa, sono fermamente convinta che ormai la Provvidenza sia a prova di ogni tentazione. Penso che tutti dovrebbero farsi leggere la mano una volta al mese per sapere ciò che non dovranno fare. Lo faranno ugualmente, ma è così piacevole l'esserne avvisati. Ebbene, se nessuno va subito a prelevare il signor Podgers, mi vedrò costretta a farlo di persona.»

«Permette che ci vada io, Lady Windermere?» disse un bel giovane alto che si trovava lì ad ascoltare la loro conversazione con un sorriso divertito.

«Grazie mille, Lord Arthur, ma temo che lei non saprebbe riconoscerlo.»

«Se è straordinario come dice, Lady Windermere, non potrei proprio sbagliarmi. Mi descriva com'è fatto, e glielo porterò qui in un baleno.»

«Ebbene, non assomiglia affatto a un chiromante. Voglio dire che non è misterioso, esoterico o dall'aspetto romantico. È un ometto robusto, con una buffa testa pelata e grandi occhiali d'oro; una via di mezzo, direi, tra il medico di famiglia e il procuratore di campagna. Mi dispiace molto, ma non posso farci niente. La gente è così irritante. Tutti i miei pianisti sembrano poeti, e tutti i miei poeti sembrano pianisti. Ricordo che l'anno scorso invitai a pranzo un anarchico incallito, uno che aveva fatto saltare in aria tantissime persone. Portava sempre una cotta di maglia e un pugnale nella manica. La cosa incredibile fu che quando finalmente arrivò, aveva tutto l'aspetto di un caro vecchio sacerdote e non fece altro, tutta la sera, che raccontarci barzellette! Certo, fu

that, but I was awfully disappointed; and when I asked him about the coat of mail, he only laughed, and said it was far too cold to wear in England. Ah, here is Mr Podgers! Now, Mr Podgers, I want you to tell the Duchess of Paisley's hand. Duchess, you must take your glove off. No, not the left hand, the other.'

'Dear Gladys, I really don't think it is quite right,' said the Duchess, feebly unbuttoning a rather soiled kid glove.

'Nothing interesting ever is,' said Lady Windermere: '*on a fait le mond ainsi*. But I must introduce you. Duchess, this is Mr Podgers, my pet cheiromantist. Mr Podgers, this is the Duchess of Paisley, and if you say that she has a larger mountain of the moon than I have, I will never believe in you again.'

'I am sure, Gladys, there is nothing of the kind in my hand,' said the Duchess gravely.

'Your Grace is quite right,' said Mr Podgers, glancing at the little fat hand with its short square fingers, 'the mountain of the moon is not developed. The line of life, however, is excellent. Kindly bend the wrist. Thank you. Three distinct lines on the *rascette*! You will live to a great age, Duchess, and be extremely happy. Ambition – very moderate, line of intellect not exaggerated, line of heart ——'

molto simpatico e così via, ma io mi sentii terribilmente delusa, e quando gli chiesi della cotta di maglia, si mise a ridere e mi confessò che in Inghilterra faceva troppo freddo per indossarla. Ah, ma ecco il signor Podgers! Adesso, signor Podgers, voglio che lei legga la mano alla duchessa di Paisley. Duchessa, si deve togliere il guanto. No, non la mano sinistra, l'altra.»

«Gladys, mia cara, pensa davvero che sia corretto?» disse la duchessa, sbottonando a malincuore un guanto di capretto piuttosto sporco.

«La correttezza non è mai interessante» rispose Lady Windermere. «*On a fait le monde ainsi*. Ma permettetemi di presentarvi: duchessa, questo è il signor Podgers, il mio chiromante preferito; signor Podgers, questa è la duchessa di Paisley, e se le dice che ha un monte della Luna più sviluppato del mio, non crederò più a una sua parola.»

«No, Gladys, sono sicura che nella mia mano non si trova nulla di simile» ribatté la duchessa con gravità.

«E Sua Grazia ha proprio ragione» disse il signor Podgers, osservando quella mano grassoccia con le piccole dita quadrate. «Il monte della Luna non è sviluppato. La linea della vita, tuttavia, è eccellente. La prego di piegare il polso, così, grazie. Tre linee distinte sulla *rascette*!* Vivrà molto a lungo, duchessa, e sarà estremamente felice. Ambizione... assai moderata, linea dell'intelletto non troppo risaltata, linea del cuore...»

* In chiromanzia, il punto di congiunzione tra il polso e la mano, o, più esattamente, le linee che si trovano in quel punto. Wilde apprese probabilmente il termine da un'opera sulla chiromanzia scritta dall'amico Edward Heron-Allen, che poté essere indirettamente all'origine del racconto.

'Now, do be indiscreet, Mr Podgers,' cried Lady Windermere.

'Nothing would give me greater pleasure,' said Mr Podgers, bowing, 'if the Duchess ever had been, but I am sorry to say that I see great permanence of affection, combined with a strong sense of duty.'

'Pray go on, Mr Podgers,' said the Duchess, looking quite pleased.

'Economy is not the least of your Grace's virtues,' continued Mr Podgers, and Lady Windermere went off into fits of laughter.

'Economy is a very good thing,' remarked the Duchess complacently; 'when I married Paisley he had eleven castles, and not a single house fit to live in.'

'And now he has twelve houses, and not a single castle,' cried Lady Windermere.

'Well, my dear,' said the Duchess, 'I like ——'

'Comfort,' said Mr Podgers, 'and modern improvements, and hot water laid on in every bedroom. Your Grace is quite right. Comfort is the only thing our civilisation can give us.'

'You have told the Duchess's character admirably, Mr Podgers, and now you must tell Lady Flora's;' and in answer to a nod from the smiling hostess, a tall girl, with sandy Scotch hair, and high shoulder-blades, stepped awkwardly from behind the sofa, and held out a long, bony hand with spatulate fingers.

'Ah, a pianist! I see,' said Mr Podgers, 'an excellent pianist, but perhaps hardly a musician. Very reserved, very honest, and with a great love of animals.'

'Quite true!' exclaimed the Duchess, turning to Lady Windermere, 'absolutely true! Flora keeps two dozen collie dogs at Macloskie, and would turn

«Adesso, commetta qualche sconvenienza, signor Podgers» esclamò Lady Windermere.

«Lo farei con il massimo piacere» ribatté il signor Podgers, inchinandosi «se mai la duchessa ne avesse commesse. Mi dispiace riferirle che vedo un affetto perseverante abbinato a un forte senso del dovere.»

«La prego, continui» disse la duchessa, molto soddisfatta.

«L'economia non è l'ultima delle virtù di Sua Grazia» proseguì il signor Podgers, e Lady Windermere scoppiò in una lunga risata.

«L'economia è un'ottima cosa» osservò la duchessa piuttosto compiaciuta «quando lo sposai, il duca di Paisley possedeva undici castelli e neanche una casa che fosse abitabile.»

«E adesso possiede dodici case, e neanche un castello» disse Lady Windermere, a voce alta.

«Ebbene, mia cara» rispose la duchessa «mi piace...»

«L'agiatezza» concluse il signor Podgers «e tutte le migliorie moderne, e l'acqua calda in ogni camera. Sua Grazia non si sbaglia. Le comodità sono le sole cose che la civiltà sa darci.»

«Ha descritto il carattere della duchessa in modo ammirevole, signor Podgers, e ora deve dirci tutto su Lady Flora» e in risposta a un cenno della sorridente padrona di casa, una ragazza alta, dai capelli color rossiccio chiaro e dalle scapole prominenti, si fece avanti goffamente da dietro il sofà, e tese una lunga mano ossuta con dita a spatola.

«Ah, vedo che suona il pianoforte!» disse il signor Podgers. «Un'eccellente pianista, ma non direi che abbia l'orecchio di un musicista. Molto riservata, molto onesta e una grande amica degli animali.»

«È vero!» esclamò la duchessa, volgendosi verso Lady Windermere «è la sacrosanta verità! Flora tiene due dozzine di cani collie a Macloskie, e non esite-

our town house into a menagerie if her father would let her.'

'Well, that is just what I do with my house every Thursday evening,' cried Lady Windermere, laughing, 'only I like lions better than collie dogs.'

'Your one mistake, Lady Windermere,' said Mr Podgers, with a pompous bow.

'If a woman can't make her mistakes charming, she is only a female,' was the answer. 'But you must read some more hands for us. Come, Sir Thomas, show Mr Podgers yours;' and a genial-looking old gentleman, in a white waistcoat, came forward, and held out a thick rugged hand, with a very long third finger.

'An adventurous nature; four long voyages in the past, and one to come. Been shipwrecked three times. No, only twice, but in danger of a shipwreck your next journey. A strong Conservative, very punctual, and with a passion for collecting curiosities. Had a severe illness between the ages of sixteen and eighteen. Was left a fortune when about thirty. Great aversion to cats and Radicals.'

'Extraordinary!' exclaimed Sir Thomas; 'you must really tell my wife's hand, too.'

'Your second wife's,' said Mr Podgers quietly, still keeping Sir Thomas's hand in his. 'Your second wife's. I shall be charmed;' but Lady Marvel, a melancholy-looking woman, with brown hair and sentimental

rebbe a trasformare la nostra casa di città in uno zoo, se suo padre glielo permettesse.»

«Be', è proprio quello che faccio io ogni giovedì sera» gridò Lady Windermere ridendo «solo che io preferisco la compagnia dei "leoni"* a quella dei collie.»

«Ed è il suo unico errore, Lady Windermere» disse il signor Podgers con un pomposo inchino.

«La donna che non riesce a rendere affascinanti i suoi errori, è solo una femmina» fu la risposta. «Ma lei deve leggerci qualche altra mano. Via, Sir Thomas, mostri al signor Podgers la sua» e si fece avanti un vecchio gentiluomo dall'espressione gioviale, in sparato bianco, il quale porse la mano ruvida e grossa, il cui dito medio era sproporzionatamente lungo.

«Una natura avventurosa, quattro lunghi viaggi in passato e uno nell'immediato futuro. Ben tre naufragi. No, solo due, ma corre il pericolo di naufragare nel suo prossimo viaggio. In politica, un conservatore convinto, molto pignolo, collezionista di antichità. È stato gravemente ammalato tra i sedici e i diciotto anni. A trent'anni ha ereditato una grossa fortuna. Non tollera gatti o radicali.»

«Eccezionale» esclamò Sir Thomas «deve a tutti i costi leggere la mano anche a mia moglie.»

«Alla sua seconda moglie» disse il signor Podgers sottovoce, sempre tenendo la mano di Sir Thomas nella propria. «Alla sua seconda moglie. Sarà un onore» ma Lady Marvel, una donna dall'aspetto melanconico, i capelli castani e le ciglia languide, osti-

* Con la parola «*lions*», «leoni», che aveva dato origine ad altri termini derivati come «*lionize*», «fare di qualcuno un *lion*, trattarlo come tale», si indicavano le personalità alla moda che di volta in volta venivano accolte, sponsorizzate si direbbe oggi, dal Bel Mondo, ed esibite, in qualche modo come belve in gabbia, nei salotti.

eyelashes, entirely declined to have her past or her future exposed; and nothing that Lady Windermere could do would induce Monsieur de Koloff, the Russian Ambassador, even to take his gloves off. In fact, many people seemed afraid to face the odd little man with his stereotyped smile, his gold spectacles, and his bright, beady eyes; and when he told poor Lady Fermor, right out before every one, that she did not care a bit for music, but was extremely fond of musicians, it was generally felt that cheiromancy was a most dangerous science, and one that ought not to be encouraged, except in a *tête-a-tête*.

Lord Arthur Savile, however, who did not know anything about Lady Fermor's unfortunate story, and who had been watching Mr Podgers with a great deal of interest, was filled with an immense curiosity to have his own hand read, and feeling somewhat shy about putting himself forward, crossed over the room to where Lady Windermere was sitting, and, with a charming blush, asked her if she thought Mr Podgers would mind.

'Of course, he won't mind,' said Lady Windermere, 'that is what he is here for. All my lions, Lord Arthur, are performing lions, and jump through hoops whenever I ask them. But I must warn you beforehand that I shall tell Sybil everything. She is coming to lunch with me to-morrow, to talk about bonnets, and if Mr Podgers finds out that you have a bad temper, or a tendency to gout, or a wife living in Bayswater, I shall certainly let her know all about it.'

Lord Arthur smiled, and shook his head. 'I am not afraid,' he answered. 'Sybil knows me as well as I know her.'

'Ah! I am a little sorry to hear you say that. The proper basis for marriage is a mutual misunderstanding.

natamente rifiutò di smascherare tanto il suo passato quanto il suo futuro; e nessuno dei mille sforzi di Lady Windermere riuscì a persuadere il signor de Koloff, l'ambasciatore russo, soltanto a sfilarsi i guanti. In effetti, molti furono coloro che ebbero paura di affrontare quello strano ometto dal sorriso stereotipato, gli occhiali d'oro e i piccoli occhi luminosi e penetranti; e quando questi disse alla povera Lady Fermor, in presenza di tutti, che non amava affatto la musica, bensì i musicisti, ognuno degli astanti fu d'accordo nel pensare che la chiromanzia era una scienza molto pericolosa, da non incoraggiare se non in un *tête-à-tête*.

Ma Lord Arthur Savile, che non sapeva nulla della sfortunata storia di Lady Fermor, e che aveva osservato il signor Podgers con molto interesse, fu preso dall'immensa curiosità di farsi leggere la mano; tuttavia, poiché provava una certa timidezza a farsi avanti, attraversò la sala e con un incantevole rossore sul viso chiese a Lady Windermere se pensava che il signor Podgers fosse disposto ad accontentarlo.

«Ma certo che è disposto» rispose Lady Windermere «è qui per questo! Tutti i miei "leoni", Lord Arthur, sanno fare il loro numero, e saltano attraverso il cerchio ogni volta che glielo chiedo. Ma prima la devo avvertire che dirò tutto a Sybil. Domani verrà qui a colazione per parlare di cappellini, e se il signor Podgers scopre che lei ha un brutto carattere, o la tendenza alla gotta, o una moglie che abita a Bayswater, stia pur certo che glielo racconterò.»

Lord Arthur sorrise e scosse la testa. «Non ho niente da temere» rispose «Sybil e io non abbiamo segreti.»

«Ah!, mi dispiace un poco sentirglielo dire. La vera base del matrimonio è una reciproca incompren-

No, I am not at all cynical, I have merely got experience, which, however, is very much the same thing. Mr Podgers, Lord Arthur Savile is dying to have his hand read. Don't tell him that he is engaged to one of the most beautiful girls in London, because that appeared in the *Morning Post* a month ago.'

'Dear Lady Windermere,' cried the Marchioness of Jedburgh, 'do let Mr Podgers stay here a little longer. He has just told me I should go on the stage, and I am so interested.'

'If he has told you that, Lady Jedburgh, I shall certainly take him away. Come over at once, Mr Podgers, and read Lord Arthur's hand.'

'Well,' said Lady Jedburgh, making a little *moue* as she rose from the sofa, 'if I am not to be allowed to go on the stage, I must be allowed to be part of the audience at any rate.'

'Of course; we are all going to be part of the audience,' said Lady Windermere; 'and now, Mr Podgers, be sure and tell us something nice. Lord Arthur is one of my special favourites.'

But when Mr Podgers saw Lord Arthur's hand he grew curiously pale, and said nothing. A shudder seemed to pass through him, and his great bushy eyebrows twitched convulsively, in an odd, irritating way they had when he was puzzled. Then some huge beads of perspiration broke out on his yellow forehead, like a poisonous dew, and his fat fingers grew cold and clammy.

Lord Arthur did not fail to notice these strange

sione.* No, non sono affatto cinica, ho solo molta esperienza, il che, tuttavia, è la stessa cosa. Signor Podgers, Lord Arthur Savile muore dalla voglia di farsi leggere la mano. Non gli dica che è fidanzato con una delle più belle fanciulle di Londra, perché questo è stato già annunciato un mese fa sul "Morning Post".»

«Cara Lady Windermere» gridò la marchesa di Jedburgh «mi lasci il signor Podgers ancora per un po'. Mi ha appena detto che sono nata per il palcoscenico, e lo trovo così interessante.»

«Se le ha detto questo, Lady Jedburgh, glielo porterò via immediatamente. Ci raggiunga subito, signor Podgers, e legga la mano a Lord Arthur.»

«Be'» disse Lady Jedburgh, alzandosi dal divano con una piccola *moue*** «se non mi è permesso di calcare le scene, mi sarà almeno concesso di far parte del pubblico.»

«Naturalmente, ne faremo parte tutti» disse Lady Windermere «e ora, signor Podgers, ci deve dire qualcosa di carino. Lord Arthur è uno dei miei ospiti prediletti.»

Ma non appena vide la mano di Lord Arthur, il signor Podgers si fece stranamente pallido e non disse nulla. Il suo corpo fu percorso da un brivido; le folte sopracciglia si misero a tremare convulsamente, nel modo strano e irritante che gli era caratteristico quando era perplesso. Poi, simili a una rugiada velenosa, grosse gocce di sudore gli imperlarono la fronte giallliccia, e le sue grosse dita si fecero fredde e viscide.

Lord Arthur non poté fare a meno di notare quegli

* Sebbene così tipicamente wildiana e pronta a venir trasformata in uno dei molti aforismi che, a torto o a ragione, si attribuiscono a Wilde, la frase è ripresa da Henry James, nel *Ritratto di signora*.
** Smorfia di disappunto.

signs of agitation, and, for the first time in his life, he himself felt fear. His impulse was to rush from the room, but he restrained himself. It was better to know the worst, whatever it was, than to be left in this hideous uncertainty.

'I am waiting, Mr Podgers,' he said.

'We are all waiting,' cried Lady Windermere, in her quick, impatient manner, but the cheiromantist made no reply.

'I believe Arthur is going on the stage,' said Lady Jedburgh, 'and that, after your scolding, Mr Podgers is afraid to tell him so.'

Suddenly Mr Podgers dropped Lord Arthur's right hand, and seized hold of his left, bending down so low to examine it that the gold rims of his spectacles seemed almost to touch the palm. For a moment his face became a white mask of horror, but he soon recovered his *sang-froid*, and looking up at Lady Windermere, said with a forced smile, 'It is the hand of a charming young man.'

'Of course it is!' answered Lady Windermere, 'but will he be a charming husband? That is what I want to know.'

'All charming young men are,' said Mr Podgers.

'I don't think a husband should be too fascinating,' murmured Lady Jedburgh pensively, 'it is so dangerous.'

'My dear child, they never are too fascinating,' cried Lady Windermere. 'But what I want are details. Details are the only things that interest. What is going to happen to Lord Arthur?'

'Well, within the next few months Lord Arthur will go a voyage ——'

'Oh yes, his honeymoon, of course!'

strani segni di turbamento e, per la prima volta in vita sua, anch'egli provò cosa fosse la paura. Il suo primo impulso fu di abbandonare la sala, ma lo controllò. Era più sensato conoscere il peggio, di qualsiasi natura fosse, piuttosto che rimanere in quella tremenda incertezza.

«Signor Podgers, sto aspettando» disse.

«Tutti stanno aspettando» esclamò Lady Windermere, nel suo tono impulsivo e impaziente; ma il chiromante non rispose.

«Credo che nel destino di Arthur ci sia il palcoscenico» disse Lady Jedburgh «e che, dopo il suo rimprovero, il signor Podgers non osi dirglielo.»

Bruscamente, Podgers lasciò ricadere la mano destra di Lord Arthur e gli afferrò la sinistra, chinandosi tanto per esaminarla che i cerchi d'oro degli occhiali quasi sfioravano il polso. Per un attimo il suo viso divenne una pallida maschera d'orrore, ma subito recuperò il suo *sang-froid* e guardando in su verso Lady Windermere disse con un sorriso forzato: «È la mano di un giovanotto affascinante».

«Certo che lo è!» rispose Lady Windermere. «Ma sarà anche un marito affascinante? È questo che mi interessa sapere.»

«Tutti i giovanotti affascinanti lo sono» disse Podgers.

«Non credo che un marito debba essere troppo affascinante» mormorò pensosamente Lady Jedburgh «è così pericoloso.»

«Mia cara bambina, non sono mai abbastanza affascinanti» esclamò Lady Windermere. «Ma quel che voglio sapere sono i minimi particolari. I dettagli sono le uniche cose interessanti. Che accadrà a Lord Arthur?»

«Beh, nei prossimi mesi Lord Arthur intraprenderà un viaggio...»

«Già! la luna di miele!»

'And lose a relative.'

'Not his sister, I hope?' said Lady Jedburgh, in a piteous tone of voice.

'Certainly not his sister,' answered Mr Podgers, with a deprecating wave of the hand, 'a distant relative merely.'

'Well, I am dreadfully disappointed,' said Lady Windermere. 'I have absolutely nothing to tell Sybil to-morrow. No one cares about distant relatives nowadays. They went out of fashion years ago. However, I suppose she had better have a black silk by her; it always does for church, you know. And now let us go to supper. They are sure to have eaten everything up, but we may find some hot soup. François used to make excellent soup once, but he is so agitated about politics at present, that I never feel quite certain about him. I do wish General Boulanger would keep quiet. Duchess, I am sure you are tired?'

'Not at all, dear Gladys,' answered the Duchess, waddling towards the door. 'I have enjoyed myself immensely, and the cheiropodist, I mean the cheiromantist, is most interesting. Flora, where can my tortoise-shell fan be? Oh, thank you, Sir Thomas, so much. And my lace shawl, Flora? Oh, thank you, Sir Thomas, very kind, I'm sure;' and the worthy crea-

«E perderà un parente.»

«Non sua sorella, spero!» ribatté Lady Jedburgh con un'aria impietosita.

«Non si tratta di una sorella» rispose il signor Podgers, facendo con la mano un gesto deprecatorio «bensì di un parente lontano.»

«Be', mi sento profondamente delusa» disse Lady Windermere. «Non avrò assolutamente nulla da riferire a Sybil domani. Oggigiorno nessuno si occupa dei parenti lontani, sono passati di moda anni fa. Le consiglierò comunque di farsi cucire un abito di seta nera, non si può mai sapere. Lo potrà sempre mettere per andare in chiesa. E ora passiamo nella sala da pranzo. Gli altri non ci avranno lasciato niente, ma forse troveremo ancora un po' di brodo caldo. François preparava un brodo eccellente una volta, ma adesso è talmente agitato per ragioni politiche che non posso più contare su di lui. Se solo il generale Boulanger* si decidesse a starsene tranquillo! Duchessa, si è un po' stancata, vero?»

«Per niente, cara Gladys» rispose la duchessa, ondeggiando verso la porta. «Mi sono divertita immensamente, e il suo chiropodista, voglio dire il chiromante, è stato davvero interessante. Flora, dove è andato a finire il mio ventaglio di tartaruga? Oh, grazie, Sir Thomas, grazie mille. E il mio scialle di merletto, Flora? Oh, grazie, Sir Thomas, lei è fin troppo gentile» e la degna creatura riuscì finalmente ad ar-

* Ministro della Guerra francese dal 1886 al 1888, il generale Georges Boulanger, di tendenze radicali ma appassionato nazionalista, scatenò deliranti entusiasmi e violente opposizioni. Apprendendo che pesava su di lui la minaccia di un'inchiesta per complotto contro lo Stato, fuggì a Bruxelles dove morì nel 1891, lo stesso anno in cui *Il delitto di Lord Arthur Savile* (già uscito nel 1887 in «The Court and Society Review») veniva pubblicato in raccolta.

ture finally managed to get downstairs without dropping her scent-bottle more than twice.

All this time Lord Arthur Savile had remained standing by the fireplace, with the same feeling of dread over him, the same sickening sense of coming evil. He smiled sadly at his sister, as she swept past him on Lord Plymdale's arm, looking lovely in her pink brocade and pearls, and he hardly heard Lady Windermere when she called to him to follow her. He thought of Sybil Merton, and the idea that anything could come between them made his eyes dim with tears.

Looking at him, one would have said that Nemesis had stolen the shield of Pallas, and shown him the Gorgon's head. He seemed turned to stone, and his face was like marble in its melancholy. He had lived the delicate and luxurious life of a young man of birth and fortune, a life exquisite in its freedom from sordid care, its beautiful boyish insouciance; and now for the first time he became conscious of the terrible mystery of Destiny, of the awful meaning of Doom.

How mad and monstrous it all seemed! Could it be that written on his hand, in characters that he could not read himself, but that another could decipher, was some fearful secret of sin, some blood-red sign of crime? Was there no escape possible? Were we no better than chessmen, moved by an unseen power, vessels the potter fashions at his fancy, for honour or for shame? His reason revolted against it, and yet he felt that some tragedy was hanging over him, and that he had been suddenly called upon to bear an intolerable burden. Actors are so fortunate. They can choose whether they will appear in tragedy or in comedy, whether they will suffer or make merry, laugh or shed tears. But in real life it is different. Most men

rivare in fondo alle scale senza lasciar cadere la bottiglietta di profumo più di due volte.

Durante tutto questo tempo Lord Arthur Savile era rimasto in piedi presso il camino, attanagliato dalla stessa sensazione di timore, da un tormentoso senso di disgrazia incombente. Sorrise tristemente a sua sorella, mentre gli passava accanto al braccio di Lord Plymdale, incantevole nell'abito di broccato rosa e i gioielli di perle, e a mala pena udì Lady Windermere quando gli chiese di seguirla. Pensava a Sybil Merton e, all'idea che qualcosa potesse frapporsi tra loro, gli si riempirono gli occhi di lacrime.

Guardandolo, si sarebbe detto che la Nemesi avesse rubato lo scudo di Pallade e gli avesse mostrato il volto della Gorgone. Sembrava fatto di pietra, tanta era la melanconia che gli aveva scolpito il viso, tramutandolo in una maschera marmorea. Aveva vissuto la vita raffinata e lussuosa del giovane ricco e aristocratico, una vita squisita nella sua libertà da ogni sordido bisogno materiale, nella sua bella noncuranza giovanile; e ora, per la prima volta, era diventato consapevole del tremendo mistero del destino, del tremendo significato che sottende la parola fato.

Tutto ciò gli appariva pazzesco e mostruoso! Era mai possibile che fosse scritto sulla sua mano, in segni a lui incomprensibili, ma decifrabili da un altro, il segreto di qualche orrendo peccato, l'impronta rosso-sangue di qualche delitto? Non c'era una via d'uscita? Noi non siamo altro che pedine, mosse da un potere invisibile, vasi che l'artigiano modella a suo piacimento, per l'onore o per l'infamia? La sua ragione si ribellava a tutto ciò, eppure era sicuro che qualche tragedia lo minacciasse e che di colpo fosse stato chiamato a portare un fardello insopportabile. Gli attori sono esseri fortunati: possono scegliere tra tragedia e commedia, soffrire o gioire, ridere o piangere. Nella vita reale questo non accade: la maggior

and women are forced to perform parts for which they have no qualifications. Our Guildensterns play Hamlet for us, and our Hamlets have to jest like Prince Hal. The world is a stage, but the play is badly cast.

Suddenly Mr Podgers entered the room. When he saw Lord Arthur he started, and his coarse, fat face became a sort of greenish-yellow colour. The two men's eyes met, and for a moment there was silence.

'The Duchess has left one of her gloves here, Lord Arthur, and has asked me to bring it to her,' said Mr Podgers finally. 'Ah, I see it on the sofa! Good evening.'

'Mr Podgers, I must insist on your giving me a straightforward answer to a question I am going to put to you.'

'Another time, Lord Arthur, but the Duchess is anxious. I am afraid I must go.'

'You shall not go. The Duchess is in no hurry.'

'Ladies should not be kept waiting, Lord Arthur,' said Mr Podgers, with his sickly smile. 'The fair sex is apt to be impatient.'

Lord Arthur's finely-chiselled lips curled in petulant disdain. The poor Duchess seemed to him of very little importance at that moment. He walked across the room to where Mr Podgers was standing, and held his hand out.

'Tell me what you saw there,' he said. 'Tell me the truth. I must know it. I am not a child.'

parte di noi è costretta a recitare una parte senza averne i requisiti adatti. Ai Guildenstern tocca la parte di Amleto e Amleto deve scherzare come se fosse il principe Hal.* Il mondo è un palcoscenico, ma i ruoli sono mal distribuiti.

Il signor Podgers entrò improvvisamente nella stanza. Quando vide Lord Arthur sussultò e la sua grassa faccia volgare si fece di un colore verde-giallastro. Gli sguardi dei due uomini s'incontrarono, e per qualche attimo ci fu silenzio.

«La duchessa ha dimenticato un guanto, Lord Arthur, e mi ha chiesto di portarglielo» disse alla fine il signor Podgers. «Ah, eccolo lì sul sofà! Buona sera.»

«Signor Podgers, insisto per avere una risposta diretta alla domanda che sto per rivolgerle.»

«Un'altra volta, Lord Arthur, la duchessa freme. Temo proprio di dover andare.»

«Lei non andrà via. La duchessa non ha nessuna fretta.»

«Non si deve mai far attendere una dama, Lord Arthur» disse il signor Podgers, con un sorriso malsano. «Il bel sesso tende a essere impaziente.»

Le labbra finemente cesellate di Lord Arthur si piegarono in una smorfia petulante e sdegnosa. La povera duchessa gli appariva di ben poca importanza in quel momento. Attraversò la stanza e si diresse verso il signor Podgers, a cui tese la mano.

«Mi deve dire cosa vi ha visto» disse. «Voglio la verità. Debbo conoscerla. Non sono un bambino.»

* I personaggi citati sono tutti di Shakespeare; e di Shakespeare è la frase «Il mondo è un palcoscenico» (cfr. *Come vi piace*, II, 7, ma anche, in forma leggermente diversa, *Il mercante di Venezia*, I, 1), senza tuttavia la malinconica e spiritosa aggiunta wildiana; Guildenstern, e naturalmente Amleto, vengono da *Amleto*, il principe Hal da *Enrico IV*: è il nome con cui viene familiarmente chiamato da Falstaff il figlio del re, il futuro Enrico V.

Mr Podgers's eyes blinked behind his gold-rimmed spectacles, and he moved uneasily from one foot to the other, while his fingers played nervously with a flash watch-chain.

'What makes you think that I saw anything in your hand, Lord Arthur, more than I told you?'

'I know you did, and I insist on your telling me what it was. I will pay you. I will give you a cheque for a hundred pounds.'

The green eyes flashed for a moment, and then became dull again.

'Guineas?' said Mr Podgers at last, in a low voice.

'Certainly. I will send you a cheque to-morrow. What is your club?'

'I have no club. That is to say, not just at present. My address is ——, but allow me to give you my card;' and producing a bit of gilt-edged pasteboard from his waistcoat pocket, Mr Podgers handed it, with a low bow, to Lord Arthur, who read on it,

MR SEPTIMUS R. PODGERS
Professional Cheiromantist
103ª West Moon Street

'My hours are from ten to four,' murmured Mr Podgers mechanically, 'and I make a reduction for families.'

'Be quick,' cried Lord Arthur, looking very pale, and holding his hand out.

Mr Podgers glanced nervously round, and drew the heavy *portière* across the door.

'It will take a little time, Lord Arthur, you had better sit down.'

Gli occhi del signor Podgers ammiccarono dietro gli occhiali cerchiati d'oro e, impacciato, egli si dondolò da un piede all'altro, mentre con le dita giocherellava nervosamente con la vistosa catena dell'orologio.

«Cosa le fa presumere, Lord Arthur, che nella sua mano io abbia visto più di quanto non le abbia già riferito?»

«Ne ho la certezza e insisto che mi dica la verità. La pagherò. Le darò un assegno di cento sterline.»

Gli occhi verdi del chiromante s'illuminarono per un istante, ma subito dopo tornarono opachi.

«Ghinee?» chiese infine il signor Podgers, quasi in un sussurro.

«Certamente. Le invierò un assegno domani mattina. Qual è il suo club?»

«Non sono iscritto a nessun club. Voglio dire, non in questo momento. Il mio indirizzo è... ma mi permetta di darle il mio biglietto da visita» e, traendo dalla tasca del panciotto un cartoncino dagli angoli dorati, il signor Podgers lo porse, accompagnato da un profondo inchino, a Lord Arthur che vi lesse:

Signor SEPTIMUS R. PODGERS
Chiromante Professionista
103ª West Moon Street

«Ricevo dalle dieci alle sedici» mormorò meccanicamente il signor Podgers «pratico uno sconto alle famiglie...»

«Si sbrighi» gridò Lord Arthur, pallido in viso, mentre gli porgeva la mano.

Il signor Podgers si guardò nervosamente intorno, poi tirò contro la porta la pesante *portière** scorrevole.

«Ci vorrà un po' di tempo, Lord Arthur, le consiglierei di sedersi.»

* Tenda che copre una porta.

'Be quick, sir,' cried Lord Arthur again, stamping his foot angrily on the polished floor.

Mr Podgers smiled, drew from his breast-pocket a small magnifying glass, and wiped it carefully with his handkerchief.

'I am quite ready,' he said.

II

Ten minutes later, with face blanched by terror, and eyes wild with grief, Lord Arthur Savile rushed from Bentinck House, crushing his way through the crowd of fur-coated footmen that stood round the large striped awning, and seeming not to see or hear anything. The night was bitter cold, and the gas-lamps round the square flared and flickered in the keen wind; but his hands were hot with fever, and his forehead burned like fire. On and on he went, almost with the gait of a drunken man. A policeman looked curiously at him as he passed, and a beggar, who slouched from an archway to ask for alms, grew frightened, seeing misery greater than his own. Once he stopped under a lamp, and looked at his hands. He thought he could detect the stain of blood already upon them, and a faint cry broke from his trembling lips.

Murder! that is what the cheiromantist had seen there. Murder! The very night seemed to know it, and the desolate wind to howl it in his ear. The dark corners of the streets were full of it. It grinned at him from the roofs of the houses.

First he came to the Park, whose sombre woodland seemed to fascinate him. He leaned wearily up

«Si sbrighi, signore» ripeté Lord Arthur, battendo rabbiosamente il piede sul pavimento lucido.

Il signor Podgers sorrise, trasse dalla tasca del panciotto una piccola lente di ingrandimento e la pulì accuratamente col fazzoletto.

«Allora, sono pronto» disse.

II

Dieci minuti dopo, col viso sbiancato dal terrore e gli occhi pieni di angoscia, Lord Arthur Savile si precipitò fuori da Bentinck House facendosi largo tra la folla di valletti impellicciati che s'era accalcata sotto il grande tendone a strisce, e nulla, nemmeno un suono né un gesto, sembrava ormai raggiungerlo. Era una notte molto fredda, e le lampade a gas della piazza guizzavano e ondeggiavano nel vento sferzante, ma le sue mani erano bollenti e la fronte febbricitante. Seguitò a camminare, e il suo passo vacillava come quello di un ubriaco. Un poliziotto lo osservò incuriosito mentre passava, e un mendicante, sdraiato sotto un'arcata a chiedere l'elemosina, come lo vide, sussultò per lo spavento, poiché aveva notato una miseria più grande della sua. Lord Arthur si fermò una volta sotto un lampione, per guardarsi le mani. Credette di potervi già scorgere una macchia di sangue, e un debole grido gli sgorgò dalle labbra tremanti.

Assassinio! Ecco quel che il chiromante vi aveva visto. Assassinio! Sembrava che persino la notte lo sapesse, che persino il vento sconsolato glielo urlasse nelle orecchie. Gli angoli bui delle strade ne erano pieni. Il delitto lo stava scrutando, sogghignando, dai tetti delle case.

Dapprima giunse al parco, il cui tetro paesaggio boschivo parve affascinarlo. Si appoggiò stancamen-

against the railings, cooling his brow against the wet metal, and listening to the tremulous silence of the trees. 'Murder! murder!' he kept repeating, as though iteration could dim the horror of the word. The sound of his own voice made him shudder, yet he almost hoped that Echo might hear him, and wake the slumbering city from its dreams. He felt a mad desire to stop the casual passer-by, and tell him everything.

Then he wandered across Oxford Street into narrow, shameful alleys. Two women with painted faces mocked at him as he went by. From a dark courtyard came a sound of oaths and blows, followed by shrill screams, and, huddled upon a damp doorstep, he saw the crook-backed forms of poverty and eld. A strange pity came over him. Were these children of sin and misery predestined to their end, as he to his? Were they, like him, merely the puppets of a monstrous show?

And yet it was not the mistery, but the comedy of suffering that struck him; its absolute uselessness, its grotesque want of meaning. How incoherent everything seemed! How lacking in all harmony! He was amazed at the discord between the shallow optimism of the day, and the real facts of existence. He was still very young.

After a time he found himself in front of Marylebone Church. The silent roadway looked like a long riband of polished silver, flecked here and there by the dark arabesques of waving shadows. Far into the distance curved the line of flickering gas-lamps, and outside a little walled-in house stood a solitary hansom, the driver asleep inside. He walked hastily in the direction of Portland Place, now and then looking round, as though he feared that he was being followed. At the corner of Rich Street stood

te al cancello, rinfrescando la fronte contro il metallo umido e ascoltando il tremulo silenzio degli alberi. «Assassinio! Assassinio!» continuava a dire, come se, ripetendo quella parola, potesse in qualche modo mitigarne l'orrore. Il suono della sua voce lo faceva rabbrividire, tuttavia quasi sperava che l'eco potesse udirlo e che destasse dal sonno la città addormentata. Provava il folle desiderio di fermare il primo passante e di raccontargli tutto.

Poi girovagò lungo Oxford Street, sbucando in angusti vicoli immondi. Due donne dal volto dipinto lo schernirono mentre passava. Da un cortile oscuro giunse il suono di bestemmie e di colpi, seguito da grida stridule e, accovacciati su di un gradino umido, vide i corpi deformi della povertà e della vecchiaia. Lo colse una strana sensazione di pietà: erano questi i figli del peccato e della miseria predestinati alla loro fine, come lui alla sua? Erano anch'essi, come lui, semplici burattini di una pantomima mostruosa?

E tuttavia, non fu tanto il mistero, quanto la commedia del dolore a colpirlo: la sua assoluta inutilità, la sua grottesca mancanza di significato. Come tutto gli sembrava incoerente! Com'era privo d'armonia! Rimase stupito dalla discrepanza tra il vuoto ottimismo del giorno e i crudi fatti della vita. Era ancora molto giovane.

Dopo un po' si trovò davanti alla chiesa di Marylebone. La strada silenziosa somigliava a un lungo nastro di argento lucido, maculato qua e là dai cupi arabeschi di ombre fluttuanti. In lontananza si incurvava la linea di lampioni dalla luce vacillante, e davanti a una piccola casa recintata sostava una carrozza solitaria; il cocchiere, dentro, s'era addormentato. Camminò con passo affrettato verso Portland Place, guardandosi attorno di tanto in tanto, quasi temesse di essere inseguito. All'angolo di Rich Street

two men, reading a small bill upon a hoarding. An odd feeling of curiosity stirred him, and he crossed over. As he came near, the word 'Murder,' printed in black letters, met his eye. He started, and a deep flush came into his cheek. It was an advertisement offering a reward for any information leading to the arrest of a man of medium height, between thirty and forty years of age, wearing a billy-cock hat, a black coat, and check trousers, and with a scar upon his right cheek. He read it over and over again, and wondered if the wretched man would be caught, and how he had been scarred. Perhaps, some day, his own name might be placarded on the walls of London. Some day, perhaps, a price would be set on his head also.

The thought made him sick with horror. He turned on his heel, and hurried on into the night.

Where he went he hardly knew. He had a dim memory of wandering through a labyrinth of sordid houses, of being lost in a giant web of sombre streets, and it was bright dawn when he found himself at last in Piccadilly Circus. As he strolled home towards Belgrave Square, he met the great waggons on their way to Covent Garden. The white-smocked carters, with their pleasant sunburnt faces and coarse curly hair, strode sturdily on, cracking their whips, and calling out now and then to each other; on the back of a huge grey horse, the leader of a jangling team, sat a chubby boy, with a bunch of primroses in his battered hat, keeping tight hold of the mane with his little hands, and laughing; and the great piles of vegetables looked like masses of jade against the morning sky, like mas-

stavano due uomini, intenti a leggere un avviso su uno steccato. Lord Arthur fu assalito da una bizzarra curiosità, e attraversò la strada. Mentre si avvicinava, la parola "Assassinio" stampata in grassetto, attirò la sua attenzione. Sobbalzò, e un cupo rossore gli dipinse le guance. Si trattava di un annuncio in cui si offriva una ricompensa per qualsiasi informazione atta a far arrestare un uomo di statura media, fra i trenta e i quarant'anni, che portava un cappello a bombetta, un cappotto nero, pantaloni a scacchi, e che aveva una cicatrice sulla guancia destra. Lesse e rilesse l'annuncio, e si domandò se avrebbero mai arrestato quel povero disgraziato, e come mai avesse una cicatrice. Forse, un giorno, anche il suo nome sarebbe stato affisso sui muri di Londra. Un giorno, forse, anche sulla sua testa sarebbe stata messa una taglia.

Il solo pensiero lo faceva stare orribilmente male. Girò sui tacchi e si tuffò nell'oscurità della notte.

Non sapeva dove stesse dirigendosi. Vi era in lui il vago ricordo di aver girovagato attraverso un labirinto di case laide e di essersi perso in una gigantesca trama di strade tetre; fu solo allo spuntar del sole che si trovò finalmente in Piccadilly Circus. Mentre si avviava alla sua dimora in Belgrave Square, incontrò i grandi carretti diretti al mercato di Covent Garden. I carrettieri nei loro camicioni bianchi, dalle gradevoli facce abbronzate e i ruvidi capelli ricciuti, avanzavano a rilento, schioccando la frusta, e di tanto in tanto si chiamavano per nome; sul dorso di un enorme cavallo bigio a capo di un tintinnante attacco di animali, era seduto un ragazzino paffuto con un mazzolino di primule appuntato sul cappello malconcio, che rideva mentre si teneva ben aggrappato con le manine alla criniera della bestia; e le grosse pile di ortaggi sembravano masse di giada stagliate contro il cielo mattutino, masse di giada

ses of green jade against the pink petals of some marvellous rose. Lord Arthur felt curiously affected, he could not tell why. There was something in the dawn's delicate loveliness that seemed to him inexpressibly pathetic, and he thought of all the days that break in beauty, and that set in storm. These rustics, too, with their rough, good-humoured voices, and their nonchalant ways, what a strange London they saw! A London free from the sin of night and the smoke of day, a pallid, ghost-like city, a desolate town of tombs! He wondered what they thought of it, and whether they knew anything of its splendour and its shame, of its fierce, fiery-coloured joys, and its horrible hunger, of all it makes and mars from morn to eve. Probably it was to them merely a mart where they brought their fruits to sell, and where they tarried for a few hours at most, leaving the streets still silent, the houses still asleep. It gave him pleasure to watch them as they went by. Rude as they were, with their heavy, hobnailed shoes, and their awkward gait, they brought a little of Arcady with them. He felt that they had lived with Nature, and that she had taught them peace. He envied them all that they did not know.

By the time he had reached Belgrave Square the sky was a faint blue, and the birds were beginning to twitter in the gardens.

III

When Lord Arthur woke it was twelve o'clock, and the midday sun was streaming through the ivory-silk cur-

verde che spiccavano sui vermigli petali di una rosa incantevole. Lord Arthur fu commosso suo malgrado da questa scena, senza saperne il perché. V'era qualcosa nella delicata bellezza dell'alba che gliela faceva apparire di una dolcezza indicibilmente sentimentale, ed egli pensò a tutti quei giorni che si aprono con un raggio di sole e si concludono con il rombo di un tuono. E quei contadini, con quelle loro voci rozze e bonarie, con quella loro aria scanzonata, che strana Londra era la loro! Una Londra libera dalle colpe della notte e dai fumi del giorno, una città pallida e spettrale, una desolata città di sepolcri! Si domandò cosa ne pensassero quei contadini, e se conoscessero qualcosa dei suoi splendori e delle sue vergogne, della sua fame orrenda, dell'intensità e della violenza delle sue gioie e di tutto quello che qui vien plasmato e distrutto nell'arco di una sola giornata. Probabilmente, per costoro era soltanto un mercato dove portare la frutta da vendere, una piazza dove indugiare per poche ore, lasciando le strade ancora silenziose e le case ancora assopite. Provò piacere nel guardarli passare. Nonostante la loro rudezza e l'andatura impacciata e pesante delle loro scarpe chiodate, si portavano appresso un memento d'Arcadia. Sentì che avevano vissuto a contatto diretto con la natura, e che questa gli aveva infuso gli insegnamenti della pace. E li invidiò per tutto ciò che non conoscevano.

Al suo giungere in Belgrave Square, il cielo si era ormai tinto di un azzurro pallido e gli uccelli stavano cominciando a cinguettare nei giardini.

III

Quando Lord Arthur si ridestò, erano le dodici, e il sole, allo zenit, filtrava nella camera attraverso le

tains of his room. He got up and looked out of the window. A dim haze of heat was hanging over the great city, and the roofs of the houses were like dull silver. In the flickering green of the square below some children were flitting about like white butterflies, and the pavement was crowded with people on their way to the Park. Never had life seemed lovelier to him, never had the things of evil seemed more remote.

Then his valet brought him a cup of chocolate on a tray. After he had drunk it, he drew aside a heavy *portière* of peach-coloured plush, and passed into the bathroom. The light stole softly from above, through thin slabs of transparent onyx, and the water in the marble tank glimmered like a moonstone. He plunged hastily in, till the cool ripples touched throat and hair, and then dipped his head right under, as though he would have wiped away the stain of some shameful memory. When he stepped out he felt almost at peace. The exquisite physical conditions of the moment had dominated him, as indeed often happens in the case of very finely-wrought natures, for the senses, like fire, can purify as well as destroy.

After breakfast, he flung himself down on a divan, and lit a cigarette. On the mantel-shelf, framed in dainty old brocade, stood a large photograph of Sybil Merton, as he had seen her first at Lady Noel's ball. The small, exquisitely-shaped head drooped slightly to one side, as though the thin, reed-like throat could hardly bear the burden of so much beauty; the lips were slightly parted, and seemed made for sweet music; and all the tender purity of girlhood looked out in wonder from the dreaming eyes. With her soft, clinging dress of *crêpe-de-chine*, and her large leaf-shaped fan, she looked like one of those delicate

tende di seta color avorio. Si alzò e andò a guardare dalla finestra. Una calda e velata foschia era sospesa sulla grande città, e i tetti delle case erano come d'argento opaco. Nel verde tremolio della piazza sottostante, alcuni fanciulli volteggiavano come tante farfalle bianche, e i marciapiedi erano ingombri di gente diretta al parco. La vita non gli era mai apparsa così bella, né mai le cose del male gli erano sembrate così lontane.

Poi entrò il valletto, recandogli una tazza di cioccolata su un vassoio. Non appena l'ebbe bevuta, aprì una pesante *portière* di felpa color pesca e passò nella stanza da bagno. La luce scendeva dolcemente dall'alto, attraverso sottili lastre di onice trasparente, e l'acqua, nella vasca di marmo, riverberava come selenite. Vi si immerse rapidamente finché le fresche increspature gli bagnarono la gola e i capelli, allora s'immerse con tutta la testa, come per purificarsi dalla macchia di qualche vergognoso ricordo. Uscito dal bagno, si sentì quasi in pace. Le squisite sensazioni fisiche del momento l'avevano soggiogato, come spesso succede alle nature finemente cesellate, poiché i sensi, come il fuoco, possono distruggere ma anche purificare.

Dopo colazione, si distese sopra un divano e accese una sigaretta. Sulla mensola del caminetto, inquadrata da una delicata cornice di broccato antico, stava una grande fotografia di Sybil Merton, come egli l'aveva vista la prima volta al ballo di Lady Noel. La testa piccola, squisitamente modellata, era leggermente piegata da un lato, quasi che l'esile collo stentasse a sopportare il peso di tanta bellezza, le labbra appena dischiuse parevano fatte per una musica soave, e dai suoi occhi sognanti traspariva la tenera, stupita purezza dell'adolescenza. Con l'abito morbido, aderente di *crêpe de Chine*, e il grande ventaglio a forma di foglia, si sarebbe detto che ella fosse una di

little figures men find in the olive-woods near Tanagra; and there was a touch of Greek grace in her pose and attitude. Yet she was not *petite*. She was simply perfectly proportioned – a rare thing in an age when so many women are either over life-size or insignificant.

Now as Lord Arthur looked at her, he was filled with the terrible pity that is born of love. He felt that to marry her, with the doom of murder hanging over his head, would be a betrayal like that of Judas, a sin worse than any the Borgia had ever dreamed of. What happiness could there be for them, when at any moment he might be called upon to carry out the awful prophecy written in his hand? What manner of life would be theirs while Fate still held this fearful fortune in the scales? The marriage must be postponed, at all costs. Of this he was quite resolved. Ardently though he loved the girl, and the mere touch of her fingers, when they sat together, made each nerve of his body thrill with exquisite joy, he recognised none the less clearly where his duty lay, and was fully conscious of the fact that he had no right to marry until he had committed the murder. This done, he could stand before the altar with Sybil Merton, and give his life into her hands without terror of wrongdoing. This done, he could take her to his arms, knowing that she would never have to blush for him, never have to hang her head in shame. But done it must be first; and the sooner the better for both.

Many men in his position would have preferred the primrose path of dalliance to the steep heights of duty; but Lord Arthur was too conscientious to set

quelle delicate figure che si trovano negli oliveti presso Tanagra, e c'era una lieve aria greca nella grazia della sua posa e della sua espressione. Eppure, non era *petite*. Era semplicemente ben proporzionata; cosa rara in un'età in cui troppe donne sono più grandi del naturale, oppure del tutto insignificanti.

Ora, Lord Arthur, contemplandola, si sentì invaso da quella terribile pietà che sorge dall'amore. Sentì che sposandola, con quell'omicidio predestinato che gli gravava sul capo, avrebbe messo in atto un tradimento simile a quello di Giuda, un delitto peggiore di tutti quelli che i Borgia avevano mai immaginato. Quale felicità avrebbe potuto esserci tra loro quando, da un momento all'altro, egli poteva essere chiamato a realizzare la spaventosa profezia incisa sulla sua mano? Quale esistenza sarebbe mai stata la loro, mentre il fato serbava una simile sventura sulla sua bilancia? Bisognava rimandare le nozze, a qualunque costo. Su questo punto non nutriva alcun dubbio. Sebbene amasse ardentemente quella fanciulla e sebbene il solo contatto delle sue dita, quando stavano seduti l'una accanto all'altro, bastasse a far vibrare ogni nervo del suo corpo di una gioia sublime, egli riconobbe chiaramente quale fosse il suo dovere, e vide che non aveva alcun diritto di sposarla, finché non avesse commesso il delitto. Solo allora egli avrebbe potuto recarsi all'altare con Sybil Merton e riporre la propria vita nelle sue mani, senza temere d'aver agito male. Solo allora avrebbe potuto prenderla fra le braccia, sapendo che mai ella avrebbe dovuto arrossire per causa sua, mai avrebbe dovuto abbassare la testa per la vergogna. Ma prima occorreva consumare il delitto, il più presto possibile, e per il bene di entrambi.

Molti altri, al suo posto, avrebbero preferito il sentiero fiorito dell'indugio alla ripida ascesa del dovere; ma Lord Arthur era troppo coscienzioso per ante-

pleasure above principle. There was more than mere passion in his love; and Sybil was to him a symbol of all that is good and noble. For a moment he had a natural repugnance against what he was asked to do, but it soon passed away. His heart told him that it was not a sin, but a sacrifice; his reason reminded him that there was no other course open. He had to choose between living for himself and living for others, and terrible though the task laid upon him undoubtedly was, yet he knew that he must not suffer selfishness to triumph over love. Sooner or later we are all called upon to decide on the same issue – of us all, the same question is asked. To Lord Arthur it came early in life – before his nature had been spoiled by the calculating cynicism of middle-age, or his heart corroded by the shallow, fashionable egotism of our day, and he felt no hesitation about doing his duty. Fortunately also, for him, he was no mere dreamer, or idle dilettante. Had he been so, he would have hesitated, like Hamlet, and let irresolution mar his purpose. But he was essentially practical. Life to him meant action, rather than thought. He had that rarest of all things, common sense.

The wild, turbid feelings of the previous night had by this time completely passed away, and it was almost with a sense of shame that he looked back upon his mad wanderings from street to street, his fierce emotional agony. The very sincerity of his sufferings made them seem unreal to him now. He wondered how he could have been so foolish as to rant and rave about the inevitable. The only question that seemed to trouble him was, whom to make away with; for he was not blind to the fact that murder,

porre il piacere al principio. Il suo amore non era una mera passione; per lui Sybil era il simbolo di tutto ciò che è onesto e nobile. Per un po' di tempo provò una naturale ripugnanza per quello che era destinato a compiere; ma ben presto gli passò. Il suo cuore lo convinse che non era un peccato, bensì un sacrificio, e la sua ragione gli ricordò che nessun'altra via gli era praticabile. Doveva scegliere fra il vivere per sé e il vivere per gli altri, e per quanto il suo compito fosse tremendo, comprendeva che non doveva lasciar trionfare l'egoismo sull'amore. Presto o tardi, ciascuno di noi è chiamato a risolvere lo stesso problema; presto o tardi a ciascuno di noi viene posta la stessa domanda. A Lord Arthur fu posta assai presto nella vita, prima che il suo carattere fosse stato corrotto dal cinismo calcolatore dell'età matura, prima che il suo cuore fosse stato intaccato dal superficiale, elegante egotismo dell'epoca attuale, per cui egli non esitò a compiere il suo dovere. Inoltre, fortunatamente per lui, non era un puro sognatore né uno sfaccendato "dilettante". Se fosse stato così, egli avrebbe esitato, come Amleto, permettendo all'irrisolutezza di rovinargli ogni progetto. Lord Arthur era invece un uomo essenzialmente pratico. Per lui la vita significava azione, più che pensiero. Egli possedeva il più raro dei doni: il buonsenso.

Le sensazioni torbide e selvagge della notte precedente si erano nel frattempo completamente dileguate, e fu quasi con un senso di vergogna che egli tornò con la mente alla sua pazza fuga di strada in strada, alla sua terribile agonia emotiva. La sincerità stessa delle sue sofferenze ora gliele faceva apparire irreali. Si domandava come avesse potuto essere tanto insensato da dare in escandescenze contro ciò che è ineluttabile. L'unico problema che ancora lo preoccupava era chi doveva sopprimere, poiché non era cieco di fronte al fatto che l'omicidio richiede

like the religions of the Pagan world, requires a victim as well as a priest. Not being a genius, he had no enemies, and indeed he felt that this was not the time for the gratification of any personal pique or dislike, the mission in which he was engaged being one of great and grave solemnity. He accordingly made out a list of his friends and relatives on a sheet of notepaper, and after careful consideration, decided in favour of Lady Clementina Beauchamp, a dear old lady who lived in Curzon Street, and was his own second cousin by his mother's side. He had always been very fond of Lady Clem, as every one called her, and as he was very wealthy himself, having come into all Lord Rugby's property when he came of age, there was no possibility of his deriving any vulgar monetary advantage by her death. In fact, the more he thought over the matter, the more she seemed to him to be just the right person, and, feeling that any delay would be unfair to Sybil, he determined to make his arrangements at once.

The first thing to be done was, of course, to settle with the cheiromantist; so he sat down at a small Sheraton writing-table that stood near the window, drew a cheque for £105, payable to the order of Mr Septimus Podgers, and, enclosing it in an envelope, told his valet to take it to West Moon Street. He then telephoned to the stables for his hansom, and dressed to go out. As he was leaving the room, he looked back at Sybil Merton's photograph, and swore that, come what may, he would never let her know what he was doing for her sake, but would keep the secret of his self-sacrifice hidden always in his heart.

On his way to the Buckingham, he stopped at a florist's, and sent Sybil a beautiful basket of narcissi, with lovely white petals and staring pheasants' eyes,

tanto una vittima quanto un sacerdote, come accade nei riti pagani. Non essendo un genio, non aveva nemici, anzi capiva perfettamente che non era il momento di soddisfare qualche dispetto o rancore personale, poiché la missione a cui era vincolato richiedeva una grave solennità. Scrisse dunque su un foglietto del taccuino una lista di tutti i suoi amici e parenti e, dopo lunghe riflessioni, si decise a favore di Lady Clementina Beauchamp, una cara vecchia signora che abitava in Curzon Street e che era sua seconda cugina, per parte di madre. Aveva sempre voluto un gran bene a Lady Clem, come tutti la chiamavano, e siccome era egli stesso ricco, avendo ereditato non appena divenuto maggiorenne le proprietà di Lord Rugby, non vi era per lui possibilità alcuna di ricavare dalla sua morte qualche volgare vantaggio economico. Anzi, più ci rifletteva, e più Lady Clem gli sembrava la persona ideale; e, persuaso che ogni indugio fosse una slealtà verso Sybil, decise di passare subito ai preparativi.

La prima cosa da fare, ovviamente, era regolare il conto del chiromante. Si sedette dunque a un piccolo scrittoio di stile Sheraton che stava accanto alla finestra, e riempì un assegno di centocinque sterline pagabile all'ordine del signor Septimus Podgers; lo chiuse poi in una busta, e disse al suo valletto di recapitarlo in West Moon Street. Quindi avvisò il suo cocchiere di attaccare il calesse, e si vestì per uscire. Nel lasciare la stanza, gettò un ultimo sguardo al ritratto di Sybil Merton e giurò che qualunque cosa fosse successa, egli non le avrebbe mai detto quello che stava per compiere per amor suo ma avrebbe per sempre serbato in cuore il segreto del suo sacrificio.

Mentre era diretto al Buckingham si fermò da un fioraio e inviò a Sybil una elegante cesta di narcisi dai bei petali bianchi che scaturivano dal centro simile a un penetrante occhio di fagiano. Giunto al

and on arriving at the club, went straight to the library, rang the bell, and ordered the waiter to bring him a lemon-and-soda, and a book on Toxicology. He had fully decided that poison was the best means to adopt in this troublesome business. Anything like personal violence was extremely distasteful to him, and besides, he was very anxious not to murder Lady Clementina in any way that might attract public attention, as he hated the idea of being lionised at Lady Windermere's, or seeing his name figuring in the paragraphs of vulgar society-newspapers. He had also to think of Sybil's father and mother, who were rather old-fashioned people, and might possibly object to the marriage if there was anything like a scandal, though he felt certain that if he told them the whole facts of the case they would be the very first to appreciate the motives that had actuated him. He had every reason, then, to decide in favour of poison. It was safe, sure, and quiet, and did away with any necessity for painful scenes, to which, like most Englishmen, he had a rooted objection.

Of the science of poisons, however, he knew absolutely nothing, and as the waiter seemed quite unable to find anything in the library but Ruff's *Guide* and Bailey's *Magazine*, he examined the bookshelves himself, and finally came across a handsomely-bound edition of the *Pharmacopœia*, and a copy of Erskine's *Toxicology*, edited by Sir Mathew Reid, the President of the Royal College of Physicians, and one of the oldest members of the Buckingham, having

club, si recò immediatamente in biblioteca, suonò il campanello e ordinò al cameriere di portargli una limonata al seltz e un libro di tossicologia. Aveva deciso che il veleno era il mezzo migliore per quella incresciosa faccenda. Nulla lo disgustava più della violenza fisica, e del resto voleva assolutamente evitare di uccidere Lady Clem in modo tale da attrarre l'attenzione pubblica, poiché gli faceva orrore il solo pensiero di essere esibito come ospite famoso in casa di Lady Windermere, o di vedere il suo nome pubblicato sulle volgari riviste mondane. Doveva inoltre pensare ai genitori di Sybil, persone piuttosto all'antica, che avrebbero potuto opporsi alle nozze se vi fosse stato uno scandalo; quantunque fosse convinto che, se avesse raccontato loro tutta la verità, sarebbero stati i primi ad apprezzare i motivi che lo avevano spinto ad agire in quel modo. Aveva dunque tutte le ragioni per decidere in favore del veleno. Era un metodo sicuro, efficace e discreto, e risparmiava la necessità di patetiche scenate per le quali, come ogni buon inglese, Lord Arthur nutriva una profonda avversione.

Sulla scienza dei veleni, però, non conosceva assolutamente niente; e siccome il cameriere non sembrava capace di trovargli altro che la «Ruff's Guide» e il «Bailey's Magazine»,* esaminò egli stesso gli scaffali della biblioteca, e finì per scovare un'edizione finemente rilegata della *Pharmacopoeia* e un esemplare della *Tossicologia* di Erskine, curata da Sir Mathew Reid, presidente del Collegio Reale dei Medici e uno dei più antichi soci del Buckingham, dove

* Due riviste sportive, «Ruff's Guide to the Turf» e «Baily's Magazine of Sports and Pastimes»: chiara indicazione di quello che Wilde pensava delle esigenze culturali dei membri dei club più eleganti.

been elected in mistake for somebody else; a *contre-temps* that so enraged the Committee, that when the real man came up they black-balled him unanimously. Lord Arthur was a good deal puzzled at the technical terms used in both books, and had begun to regret that he had not paid more attention to his classics at Oxford, when in the second volume of Erskine, he found a very complete account of the properties of aconitine, written in fairly clear English. It seemed to him to be exactly the poison he wanted. It was swift – indeed, almost immediate, in its effect – perfectly painless, and when taken in the form of a gelatine capsule, the mode recommended by Sir Mathew, not by any means unpalatable. He accordingly made a note, upon his shirt-cuff, of the amount necessary for a fatal dose, put the books back in their places, and strolled up St James's Street, to Pestle and Humbey's, the great chemists. Mr Pestle, who always attended personally on the aristocracy, was a good deal surprised at the order, and in a very deferential manner murmured something about a medical certificate being necessary. However, as soon as Lord Arthur explained to him that it was for a large Norwegian mastiff that he was obliged to get rid of, as it showed signs of incipient rabies, and had already bitten the coachman twice in the calf of the leg, he expressed himself as being perfectly satisfied, complimented Lord Arthur on his wonderful knowledge of Toxicology, and had the prescription made up immediately.

Lord Arthur put the capsule into a pretty little silver *bonbonnière* that he saw in a shop-window in Bond Street, threw away Pestle and Humbey's ugly pill-box, and drove off at once to Lady Clementina's.

'Well, *monsieur le mauvais sujet*,' cried the old

era stato eletto per sbaglio, confuso con un altro candidato: un *contretemps* che aveva tanto infuriato quelli della commissione che, quando poi si presentò il vero candidato, questo fu respinto all'unanimità. Lord Arthur rimase molto interdetto dai termini tecnici usati in entrambi i volumi e già si pentiva di non aver prestato maggiore attenzione alle lezioni impartitegli a Oxford, quando, nel secondo volume di Erskine, scoprì un'interessante, dettagliata descrizione delle proprietà dell'aconitina, scritta in un inglese piuttosto accessibile. Era questo il veleno che faceva al caso suo: era rapido, anzi immediato, assolutamente indolore e, se somministrato sotto forma di capsula di gelatina, secondo il modo consigliato da Sir Mathew, per niente sgradevole al palato. Lord Arthur prese dunque nota, sul polsino della camicia, della dose necessaria per provocare la morte, ripose i libri negli scaffali, e si incamminò lungo St James's Street verso la celebre farmacia Pestle e Humbley. Il signor Pestle, che serviva sempre personalmente i suoi clienti dell'aristocrazia, rimase non poco sorpreso dell'ordinazione e, molto deferentemente, mormorò qualcosa a proposito della necessità di una ricetta medica. Ma appena Lord Arthur gli ebbe spiegato che gli serviva per un grosso mastino norvegese del quale era costretto a disfarsi poiché dava sintomi d'idrofobia incipiente, e aveva già morso il cocchiere due volte a un polpaccio, il farmacista si disse pienamente soddisfatto, si congratulò con Lord Arthur per la sua meravigliosa conoscenza nel campo della tossicologia e fece preparare subito la prescrizione.

Lord Arthur mise la capsula in una incantevole *bonbonnière* d'argento vista in una vetrina di Bond Street, buttò via il brutto recipiente di Pestle e Humbley, e si avviò in carrozza verso l'abitazione di Lady Clementina.

«Ebbene, *monsieur le mauvais sujet*» esclamò la

lady, as he entered the room, 'why haven't you been to see me all this time?'

'My dear Lady Clem, I never have a moment to myself,' said Lord Arthur, smiling.

'I suppose you mean that you go about all day long with Miss Sybil Merton, buying *chiffons* and talking nonsense? I cannot understand why people make such a fuss about being married. In my day we never dreamed of billing and cooing in public, or in private for that matter.'

'I assure you I have not seen Sybil for twenty-four hours, Lady Clem. As far as I can make out, she belongs entirely to her milliners.'

'Of course; that is the only reason you come to see an ugly old woman like myself. I wonder you men don't take warning. *On a fait des folies pour moi*, and here I am, a poor, rheumatic creature, with a false front and a bad temper. Why, if it were not for dear Lady Jansen, who sends me all the worst French novels she can find, I don't think I could get through the day. Doctors are no use at all, except to get fees out of one. They can't even cure my heartburn.'

'I have brought you a cure for that, Lady Clem,' said Lord Arthur gravely. 'It is a wonderful thing, invented by an American.'

'I don't think I like American inventions, Arthur. I am quite sure I don't. I read some American novels lately, and they were quite nonsensical.'

'Oh, but there is no nonsense at all about this, Lady Clem! I assure you it is a perfect cure. You must promise to try it;' and Lord Arthur brought the little box out of his pocket, and handed it to her.

'Well, the box is charming, Arthur. Is it really a

vecchia dama vedendolo entrare nella stanza «perché non sei mai venuto a trovarmi in tutto questo tempo?»

«Mia cara Lady Clem» rispose il giovane con un sorriso «non ho mai un momento libero.»

«Vorrai dire, immagino, che trascorri tutto il giorno con la signorina Sybil Merton a comprare *chiffons* e a parlare di sciocchezze. Io non capisco perché la gente dia tanta importanza al fatto di sposarsi. Ai miei tempi nessuno si sarebbe mai sognato di scambiarsi tenerezze in pubblico e, quanto a questo, neppure in privato.»

«Le assicuro, Lady Clem, che non vedo Sybil da ventiquattro ore. Per quanto ne so io, appartiene interamente alle sue sarte.»

«Ed è questo, naturalmente, l'unico motivo per cui vieni a trovare una brutta vecchia come me. Mi stupisco che voi uomini non abbiate imparato la lezione. *On a fait des folies pour moi*, e ora eccomi qui, piena d'acciacchi, con i capelli posticci e un pessimo carattere. Se non fosse per la cara Lady Jansen che mi invia tutti i peggiori romanzi francesi che riesce a trovare, non saprei proprio come far passare il tempo. A che servono i medici? A prendere danari, tutto qui... Non riescono neppure a guarirmi il bruciore di stomaco.»

«Le ho portato un rimedio per quel disturbo, Lady Clem» disse gravemente Lord Arthur. «Si tratta di un rimedio portentoso scoperto da un americano.»

«Non credo di amare le invenzioni americane. Anzi, ne sono certa. Ho letto recentemente alcuni romanzi americani e li ho trovati semplicemente stupidi.»

«Ma questa non è una cosa stupida, Lady Clem. Le assicuro che è davvero unica. Deve promettermi di provarla» e Lord Arthur trasse dalla tasca la piccola bomboniera e la porse a Lady Clementina.

«La scatoletta, almeno, è deliziosa, Arthur. Ma è

present? That is very sweet of you. And is this the wonderful medicine? It looks like a *bonbon*. I'll take it at once.'

'Good heavens! Lady Clem,' cried Lord Arthur, catching hold of her hand, 'you mustn't do anything of the kind. It is a homœopathic medicine, and if you take it without having heartburn, it might do you no end of harm. Wait till you have an attack, and take it then. You will be astonished at the result.'

'I should like to take it now,' said Lady Clementina, holding up to the light the little transparent capsule, with its floating bubble of liquid aconitine. 'I am sure it is delicious. The fact is that, though I hate doctors, I love medicines. However, I'll keep it till my next attack.'

'And when will that be?' asked Lord Arthur eagerly. 'Will it be soon?'

'I hope not for a week. I had a very bad time yesterday morning with it. But one never knows.'

'You are sure to have one before the end of the month then, Lady Clem?'

'I am afraid so. But how sympathetic you are today, Arthur! Really, Sybil has done you a great deal of good. And now you must run away, for I am dining with some very dull people, who won't talk scandal, and I know that if I don't get my sleep now I shall never be able to keep awake during dinner. Good-bye, Arthur, give my love to Sybil, and thank you so much for the American medicine.'

'You won't forget to take it, Lady Clem, will you?' said Lord Arthur, rising from his seat.

'Of course I won't, you silly boy. I think it is most kind of you to think of me, and I shall write and tell you if I want any more.'

Lord Arthur left the house in high spirits, and with a feeling of immense relief.

davvero un regalo? Sei veramente gentile. E questo sarebbe il rimedio portentoso? A me sembra proprio un *bonbon*. Voglio prenderlo subito.»

«Santo cielo! Lady Clem!» esclamò Lord Arthur trattenendole la mano. «Non deve far niente di simile. È una medicina omeopatica, e se la prende ora, senza avere bruciore di stomaco, potrebbe provocarle chissà quanti danni collaterali. Aspetti a prenderla quando avrà una delle sue crisi, rimarrà stupefatta dell'effetto.»

«Eppure me la mangerei subito» insistette Lady Clem, guardando contro luce quella piccola capsula trasparente in cui fluttuava la liquida aconitina. «Sono certa che è squisita. Ti confesso che io detesto i medici, ma che adoro le medicine. Tuttavia, prometto di conservarla fino al prossimo attacco.»

«E quando sopravverrà, questo attacco?» chiese ansioso Lord Arthur. «Presto?»

«Spero non prima di una settimana. Ieri mattina ne ho avuto uno tremendo. Ma non si sa mai.»

«Crede dunque di averne un altro prima della fine del mese, Lady Clem?»

«Temo di sì. Ma come sei pieno di premure oggi, Arthur! Si vede che Sybil ha una benevola influenza su di te. E ora devi proprio scappar via poiché ho a pranzo gente molto noiosa che non fa mai un pettegolezzo, e se non mi riposo un po' ora, mi sarà impossibile rimanere sveglia durante il pranzo. Arrivederci, Arthur, ricordami alla cara Sybil e grazie mille per la medicina americana.»

«Non si scorderà di prenderla, vero, Lady Clem?» chiese Lord Arthur alzandosi.

«Sta' sicuro, non me ne dimenticherò, sciocco ragazzo. È stato infinitamente gentile da parte tua l'aver pensato a me, e ti scriverò se mi occorrono altre capsule.»

Lord Arthur lasciò la casa con passo leggero, sentendosi immensamente sollevato.

That night he had an interview with Sybil Merton. He told her how he had been suddenly placed in a position of terrible difficulty, from which neither honour nor duty would allow him to recede. He told her that the marriage must be put off for the present, as until he had got rid of his fearful entanglements, he was not a free man. He implored her to trust him, and not to have any doubts about the future. Everything would come right, but patience was necessary.

The scene took place in the conservatory of Mr Merton's house, in Park Lane, where Lord Arthur had dined as usual. Sybil had never seemed more happy, and for a moment Lord Arthur had been tempted to play the coward's part, to write to Lady Clementina for the pill, and to let the marriage go on as if there was no such person as Mr Podgers in the world. His better nature, however, soon asserted itself, and even when Sybil flung herself weeping into his arms, he did not falter. The beauty that stirred his senses had touched his conscience also. He felt that to wreck so fair a life for the sake of a few months' pleasure would be a wrong thing to do.

He stayed with Sybil till nearly midnight, comforting her and being comforted in turn, and early the next morning he left for Venice, after writing a manly, firm letter to Mr Merton about the necessary postponement of the marriage.

IV

In Venice he met his brother, Lord Surbiton, who happened to have come over from Corfu in his yacht. The two young men spent a delightful fortnight together. In the morning they rode on the Lido, or

La sera ebbe un colloquio con Sybil Merton. Le spiegò di trovarsi all'improvviso in una situazione estremamente delicata dalla quale né il dovere né l'onore gli permettevano di recedere e che perciò il loro matrimonio doveva essere rimandato per il momento, dato che finché non si fosse liberato dai legami che lo tenevano prigioniero, egli non poteva considerarsi padrone di se stesso. La supplicò di avere fede in lui e di non dubitare dell'avvenire: tutto si sarebbe risolto, bisognava solo pazientare.

La scena ebbe luogo nella serra di casa Merton, in Park Lane, dove Lord Arthur aveva pranzato come al solito. Sybil non gli era mai sembrata più raggiante e per un momento Lord Arthur fu tentato di agire vilmente, di scrivere a Lady Clementina per la pillola, e di lasciare che le nozze si celebrassero come se al mondo non fosse mai esistito un signor Podgers; tuttavia la sua natura migliore non tardò a prendere il sopravvento, e neppure quando Sybil si lasciò cadere nelle sue braccia piangendo, egli vacillò. La bellezza che gli turbava i sensi aveva anche toccato la sua coscienza, e sentì che il far naufragare una vita così preziosa per il piacere di pochi mesi sarebbe stato un errore imperdonabile.

Rimase con Sybil fin quasi a mezzanotte, consolandola e facendosi a sua volta consolare; l'indomani mattina partì per Venezia, dopo aver scritto al signor Merton una lettera ferma e virile sulla necessità di rimandare le nozze.

IV

A Venezia Lord Arthur incontrò suo fratello, Lord Surbiton, che vi era arrivato col suo yacht da Corfù. I due giovani trascorsero insieme due settimane incantevoli. Di mattina andavano a cavallo lungo il Li-

glided up and down the green canals in their long black gondola; in the afternoon they usually entertained visitors on the yacht; and in the evening they dined at Florian's, and smoked innumerable cigarettes on the Piazza. Yet somehow Lord Arthur was not happy. Every day he studied the obituary column in the *Times*, expecting to see a notice of Lady Clementina's death, but every day he was disappointed. He began to be afraid that some accident had happened to her, and often regretted that he had prevented her taking the aconitine when she had been so anxious to try its effect. Sybil's letters, too, though full of love, and trust, and tenderness, were often very sad in their tone, and sometimes he used to think that he was parted from her for ever.

After a fortnight Lord Surbiton got bored with Venice, and determined to run down the coast to Ravenna, as he heard that there was some capital cock-shooting in the Pinetum. Lord Arthur, at first, refused absolutely to come, but Surbiton, of whom he was extremely fond, finally persuaded him that if he stayed at Danielli's by himself he would be moped to death, and on the morning of the 15th they started, with a strong nor'east wind blowing, and a rather sloppy sea. The sport was excellent, and the free, open-air life brought the colour back to Lord Arthur's cheeks, but about the 22nd he became anxious about Lady Clementina, and, in spite of Surbiton's remonstrances, came back to Venice by train.

As he stepped out of his gondola on to the hotel steps, the proprietor came forward to meet him with a sheaf of telegrams. Lord Arthur snatched them out of his hand, and tore them open. Everything had been successful. Lady Clementina had died quite suddenly on the night of the 17th!

do, oppure scivolavano su e giù per il verde Canal Grande nella lunga gondola nera; il pomeriggio di solito ricevevano gente a bordo dello yacht; e di sera pranzavano al Florian e fumavano innumerevoli sigarette sulla piazza. Lord Arthur, tuttavia, non era felice. Ogni giorno studiava la colonna dei necrologi del «Times», sperando di leggervi quello di Lady Clementina, ma non aveva mai questa soddisfazione. Cominciò a sospettare che le fosse accaduto qualche guaio e si biasimò spesso per averle impedito di prendere l'aconitina quando si era dichiarata tanto ansiosa di provarne l'effetto. Anche le lettere di Sybil, benché abbondassero di amore, di fiducia e di tenerezza, erano spesso di un tono così melanconico che talvolta gli accadeva di pensare di essersi separato da lei per sempre.

Dopo due settimane, Lord Surbiton si stancò di Venezia e decise di veleggiare lungo la costa, in direzione di Ravenna, poiché gli era stato riferito che la pineta litorale era una zona magnifica per la caccia al gallo selvatico. Lord Arthur dapprima rifiutò categoricamente di unirsi al fratello, ma Surbiton, a cui voleva un bene profondo, alla fine riuscì a convincerlo che, se fosse rimasto solo al Danieli, si sarebbe annoiato a morte. Il mattino del quindici, dunque, si imbarcarono con un forte vento di nord-est e un mare piuttosto mosso. La caccia si rivelò eccellente, e quella salubre vita all'aria aperta riportò il colore alle guance di Lord Arthur; ma verso il ventidue egli tornò a preoccuparsi di Lady Clementina e, malgrado le proteste di Lord Surbiton, rientrò a Venezia col treno.

Quando saltò giù dalla gondola sulla scalinata dell'albergo, il proprietario lo salutò con un fascio di telegrammi. Lord Arthur glieli strappò quasi di mano, aprendoli freneticamente. Il piano era riuscito bene: Lady Clementina era morta improvvisamente la sera del diciassette!

His first thought was for Sybil, and he sent her off a telegram announcing his immediate return to London. He then ordered his valet to pack his things for the night mail, sent his gondoliers about five times their proper fare, and ran up to his sitting-room with a light step and a buoyant heart. There he found three letters waiting for him. One was from Sybil herself, full of sympathy and condolence. The others were from his mother, and from Lady Clementina's solicitor. It seemed that the old lady had dined with the Duchess that very night, had delighted every one by her wit and *esprit*, but had gone home somewhat early, complaining of heartburn. In the morning she was found dead in her bed, having apparently suffered no pain. Sir Mathew Reid had been sent for at once, but, of course, there was nothing to be done, and she was to be buried on the 22nd at Beauchamp Chalcote. A few days before she died she had made her will, and left Lord Arthur her little house in Curzon Street, and all her furniture, personal effects, and pictures, with the exception of her collection of miniatures, which was to go to her sister, Lady Margaret Rufford, and her amethyst necklace, which Sybil Merton was to have. The property was not of much value; but Mr Mansfield the solicitor was extremely anxious for Lord Arthur to return at once, if possible, as there were a great many bills to be paid, and Lady Clementina had never kept any regular accounts.

Lord Arthur was very much touched by Lady Clementina's kind remembrance of him, and felt that Mr Podgers had a great deal to answer for. His love of Sybil, however, dominated every other emotion, and the consciousness that he had done his duty gave him peace and comfort. When he arrived at Charing Cross, he felt perfectly happy.

Il suo primo pensiero fu per Sybil e quindi le spedì un telegramma annunciandole il suo immediato ritorno a Londra. Poi ordinò al valletto di preparare le valigie da inviare con il corriere della notte, mandò ai gondolieri cinque volte la somma pattuita, e corse nella sua *suite* con passo leggero e cuore gioioso. Tre lettere lo aspettavano. Una era appunto di Sybil, carica di affetto e di condoglianze. Le altre erano di sua madre e dell'avvocato di Lady Clementina. A quanto sembrava, la vecchia dama aveva pranzato con la duchessa proprio quella sera, dilettando tutti con il suo *esprit* e il suo buon umore; ma era tornata a casa di buon'ora accusando il solito bruciore di stomaco. L'indomani mattina fu trovata morta nel letto, e non sembrava avesse sofferto. Sir Mathew Reid era stato mandato subito a chiamare, ma naturalmente aveva potuto fare ben poco: Lady Clem sarebbe stata sepolta il giorno ventidue a Beauchamp Chalcote. Pochi giorni prima di morire aveva redatto il suo testamento, assegnando a Lord Arthur l'abitazione di Curzon Street, e tutti i suoi mobili, effetti personali e quadri, a eccezione della raccolta di miniature, destinata a sua sorella, Lady Margaret Rufford, e della collana di ametiste per Sybil Merton. Non era certo un patrimonio, ma l'avvocato Mansfield era estremamente ansioso che Lord Arthur tornasse il più presto possibile, poiché erano rimasti diversi conti in sospeso, essendo Lady Clementina piuttosto disordinata negli affari.

Lord Arthur fu molto commosso dal dono gentile che Lady Clementina gli aveva lasciato e pensò che il signor Podgers aveva molto di cui rispondere. Il suo amore per Sybil tuttavia era più forte di ogni altra emozione, e la consapevolezza di aver compiuto il suo dovere gli arrecò pace e conforto. Quando arrivò a Londra, alla stazione di Charing Cross, la sua felicità era completa.

The Mertons received him very kindly, Sybil made him promise that he would never again allow anything to come between them, and the marriage was fixed for the 7th June. Life seemed to him once more bright and beautiful, and all his old gladness came back to him again.

One day, however, as he was going over the house in Curzon Street, in company with Lady Clementina's solicitor and Sybil herself, burning packages of faded letters, and turning out drawers of odd rubbish, the young girl suddenly gave a little cry of delight.

'What have you found, Sybil?' said Lord Arthur, looking up from his work, and smiling.

'This lovely little silver *bonbonnière*, Arthur. Isn't it quaint and Dutch? Do give it to me! I know amethysts won't become me till I am over eighty.'

It was the box that had held the aconitine.

Lord Arthur started, and a faint blush came into his cheek. He had almost entirely forgotten what he had done, and it seemed to him a curious coincidence that Sybil, for whose sake he had gone through all that terrible anxiety, should have been the first to remind him of it.

'Of course you can have it, Sybil. I gave it to poor Lady Clem myself.'

'Oh! thank you, Arthur; and may I have the *bonbon* too? I had no notion that Lady Clementina liked sweets. I thought she was far too intellectual.'

Lord Arthur grew deadly pale, and a horrible idea crossed his mind.

'*Bonbon*, Sybil? What do you mean?' he said in a slow, hoarse voice.

'There is one in it, that is all. It looks quite old and dusty, and I have not the slightest intention of eating it. What is the matter, Arthur? How white you look!'

Lord Arthur rushed across the room, and seized the box. Inside it was the amber-coloured capsule,

I Merton lo ricevettero con molta cordialità. Sybil gli fece promettere che niente più li avrebbe separati, e il matrimonio fu quindi fissato per il sette giugno. La vita gli sembrò di nuovo bella e luminosa ed egli tornò a essere il giovane spensierato di una volta.

Un giorno, tuttavia, mentre perlustrava la casa di Curzon Street in compagnia dell'avvocato di Lady Clementina e di Sybil, bruciando fasci di lettere sbiadite e ripulendo i cassetti di inutili cianfrusaglie, la giovinetta improvvisamente emise un grido di gioia.

«Cos'hai trovato, Sybil?» le chiese Lord Arthur, guardandola con un sorriso.

«Questa piccola deliziosa *bonbonnière* d'argento, Arthur. Non ha un'aria caratteristica e olandese? Ti prego, dammela! So che le ametiste non mi doneranno fino a quando non avrò superato gli ottanta.»

Era la scatola dove una volta era stata riposta l'aconitina.

Lord Arthur sussultò e un lieve rossore gli dipinse le guance. Aveva ormai scordato l'intera faccenda, e gli parve strano che proprio Sybil, per amore della quale aveva superato quella terribile prova, dovesse essere la prima persona a ricordargliela.

«Ma certo che la puoi avere, Sybil. L'ho regalata io stesso a Lady Clementina!»

«Oh, grazie Arthur, e posso prendere anche il *bonbon*? Pensavo che Lady Clementina non amasse i dolci. Mi pareva troppo intellettuale.»

Lord Arthur si fece mortalmente pallido, e un pensiero orribile gli balenò nella mente.

«Quale *bonbon*, Sybil? Che intendi dire?» domandò con voce lenta e roca.

«Ce n'è uno qui. Ecco tutto. Sembra molto polveroso e vecchio, e non ho la minima intenzione di mangiarlo. Ma si può sapere cos'hai? Sei così pallido!»

Lord Arthur attraversò di corsa la stanza e afferrò la scatoletta: dentro trovò la capsula ambrata, con il

with its poison-bubble. Lady Clementina had died a natural death after all!

The shock of the discovery was almost too much for him. He flung the capsule into the fire, and sank on the sofa with a cry of despair.

V

Mr Merton was a good deal distressed at the second postponement of the marriage, and Lady Julia, who had already ordered her dress for the wedding, did all in her power to make Sybil break off the match. Dearly, however, as Sybil loved her mother, she had given her whole life into Lord Arthur's hands, and nothing that Lady Julia could say could make her waver in her faith. As for Lord Arthur himself, it took him days to get over his terrible disappointment, and for a time his nerves were completely unstrung. His excellent common sense, however, soon asserted itself and his sound, practical mind did not leave him long in doubt about what to do. Poison having proved a complete failure, dynamite, or some other form of explosive, was obviously the proper thing to try.

He accordingly looked again over the list of his friends and relatives, and, after careful consideration, determined to blow up his uncle, the Dean of Chichester. The Dean, who was a man of great culture and learning, was extremely fond of clocks, and had a wonderful collection of timepieces, ranging from the fifteenth century to the present day, and it seemed to Lord Arthur that this hobby of the good Dean's offered him an excellent opportunity for carrying out his scheme. Where to procure an explosive machine was, of course, quite another matter. The London Directory gave him no information on the point, and he felt that there was very little use in going to Scotland Yard

suo globulo di veleno. Lady Clementina era dunque morta di morte naturale!

Questa rivelazione lo sconvolse oltre misura: gettò la capsula nel camino acceso e sprofondò nel divano con un grido di sconforto.

V

Il signor Merton fu molto indignato dal secondo rinvio delle nozze e Lady Julia, che aveva già ordinato l'abito per la cerimonia, tentò con ogni mezzo di convincere Sybil a rompere il fidanzamento. Per quanto la giovinetta amasse teneramente sua madre, ella aveva riposto l'intera sua vita nelle mani di Lord Arthur, e nessun argomento di Lady Julia l'avrebbe mai scossa da quella fede. Per quel che concerne Lord Arthur, gli ci vollero diversi giorni prima di riaversi dalla terribile delusione; e per un certo periodo soffrì d'esaurimento nervoso. Il suo eccellente buonsenso, tuttavia, ebbe presto il sopravvento, e la sua mente abile e pratica non lo lasciò a lungo in dubbio su quel che doveva fare. Il veleno, ormai, si era rivelato inutile e quindi doveva rivolgersi alla dinamite, o a qualche altra specie di esplosivo.

Consultò di nuovo la lista di amici e parenti e, dopo una lunga riflessione, decise di far saltare in aria suo zio, il decano di Chichester. Il decano, uomo di grande cultura e sapere, amava molto gli orologi e ne possedeva una splendida collezione che spaziava dal Quattrocento all'epoca moderna, e a Lord Arthur questo hobby del buon decano sembrò offrire un'eccellente occasione per realizzare i suoi progetti. Dove procurarsi un marchingegno esplosivo era, naturalmente, un altro paio di maniche. L'elenco telefonico non gli fu di alcun aiuto, e pensò che fosse del tutto inutile rivolgersi a Scotland Yard, poiché i poliziotti

about it, as they never seemed to know anything about the movements of the dynamite faction till after an explosion had taken place, and not much even then.

Suddenly he thought of his friend Rouvaloff, a young Russian of very revolutionary tendencies, whom he had met at Lady Windermere's in the winter. Count Rouvaloff was supposed to be writing a life of Peter the Great, and to have come over to England for the purpose of studying the documents relating to that Tsar's residence in this country as a ship carpenter; but it was generally suspected that he was a Nihilist agent, and there was no doubt that the Russian Embassy did not look with any favour upon his presence in London. Lord Arthur felt that he was just the man for his purpose, and drove down one morning to his lodgings in Bloomsbury, to ask his advice and assistance.

'So you are taking up politics seriously?' said Count Rouvaloff, when Lord Arthur had told him the object of his mission; but Lord Arthur, who hated swagger of any kind, felt bound to admit to him that he had not the slightest interes in social questions, and simply wanted the explosive machine for a purely family matter, in which no one was concerned but himself.

Count Rouvaloff looked at him for some moments in amazement, and then seeing that he was quite serious, wrote an address on a piece of paper, initialled it, and handed it to him across the table.

'Scotland Yard would give a good deal to know this address, my dear fellow.'

'They shan't have it,' cried Lord Arthur, laughing; and after shaking the young Russian warmly by the hand he ran downstairs, examined the paper, and told the coachman to drive to Soho Square.

sembravano non sapere mai niente circa gli spostamenti dei dinamitardi se non ad attentato compiuto, e anche allora ne sapevano ben poco.

Si ricordò improvvisamente del suo amico Rouvaloff, un giovanotto russo dalle inclinazioni fortemente rivoluzionarie, che aveva incontrato l'inverno precedente a un ricevimento di Lady Windermere. Si presumeva che il conte Rouvaloff stesse scrivendo una biografia di Pietro il Grande e che fosse giunto in Inghilterra per consultare i documenti relativi alla permanenza dello zar in questo paese in qualità di carpentiere navale; ma tutti sospettavano che fosse un agente nichilista e, in effetti, non si poteva dire che l'ambasciata russa vedesse di buon occhio la sua presenza a Londra. Lord Arthur pensò che era proprio l'uomo che ci voleva e una mattina si recò in carrozza a fargli visita alla sua abitazione nel quartiere di Bloomsbury, per chiedergli un consiglio e qualche spunto utile.

«Dunque si è dato seriamente alla politica?» gli chiese il conte Rouvaloff dopo che Lord Arthur gli ebbe spiegato il motivo della sua visita; ma Lord Arthur, che odiava la millanteria, si sentì obbligato a confessargli che non era minimamente interessato alle questioni sociali e che voleva semplicemente un marchingegno esplosivo per puri motivi di famiglia, che riguardavano lui, e soltanto lui.

Il conte Rouvaloff lo guardò esterrefatto per un attimo, poi, vedendo che il giovane era serissimo, scrisse un indirizzo su un foglio di carta, lo siglò colle sue iniziali e glielo passò sopra il tavolo.

«Scotland Yard pagherebbe profumatamente per questo indirizzo, amico mio.»

«Non lo avranno» esclamò Lord Arthur, ridendo; e, dopo aver stretto calorosamente la mano al giovane russo, corse giù per le scale, dove esaminò il foglio e disse al cocchiere di portarlo in Soho Square.

There he dismissed him, and strolled down Greek Street, till he came to a place called Bayle's Court. He passed under the archway, and found himself in a curious *cul-de-sac*, that was apparently occupied by a French Laundry, as a perfect network of clothes-lines was stretched across from house to house, and there was a flutter of white linen in the morning air. He walked to the end, and knocked at a little green house. After some delay, during which every window in the court became a blurred mass of peering faces, the door was opened by a rather rough-looking foreigner, who asked him in very bad English what his business was. Lord Arthur handed him the paper Count Rouvaloff had given him. When the man saw it he bowed, and invited Lord Arthur into a very shabby front parlour on the ground-floor, and in a few moments Herr Winckelkopf, as he was called in England, bustled into the room, with a very wine-stained napkin round his neck, and a fork in his left hand.

'Count Rouvaloff has given me an introduction to you,' said Lord Arthur, bowing, 'and I am anxious to have a short interview with you on a matter of business. My name is Smith, Mr Robert Smith, and I want you to supply me with an explosive clock.'

'Charmed to meet you, Lord Arthur,' said the genial little German laughing. 'Don't look so alarmed, it is my duty to know everybody, and I remember seeing you one evening at Lady Windermere's. I hope her ladyship is quite well. Do you mind sitting with me while I finish my breakfast? There is an excellent *pâté*, and my friends are kind enough to say that my Rhine wine is better than any they get at the German Embassy,' and before Lord Arthur had got over his surprise at being recognised, he found him-

Arrivato sul posto, congedò il cocchiere e si avviò a piedi per Greek Street fin quando non giunse a un posto chiamato Bayle's Court. Passò sotto l'arcata e si trovò in un curioso *cul-de-sac*, apparentemente occupato da una lavanderia, poiché una rete di corde per il bucato si stendeva dall'estremità di una casa all'altra e l'aria mattutina scuoteva la linda biancheria. Camminò fino in fondo al vicolo e bussò alla porta di una casetta verde. Tardarono molto a rispondere, e nell'attesa ogni finestra si riempì all'inverosimile di una massa sfumata di facce scrutatrici. La porta fu aperta da uno straniero dall'aspetto piuttosto rude che gli chiese in un pessimo inglese che cosa volesse. Lord Arthur gli consegnò il foglio che il conte Rouvaloff gli aveva dato. Quando l'uomo lo vide s'inchinò e invitò Lord Arthur a entrare in uno squallido salottino a pianterreno e, dopo qualche istante, Herr Winckelkopf, com'era conosciuto in Inghilterra, irruppe nella stanza con al collo un tovagliolo chiazzato di vino e una forchetta nella mano sinistra.

«Il conte Rouvaloff mi ha dato una lettera di presentazione» disse Lord Arthur con un inchino «e sono ansioso di parlare brevemente di affari con lei. Mi chiamo Smith, Robert Smith, e gradirei che mi procurasse un orologio esplosivo.»

«Lieto di fare la sua conoscenza, Lord Arthur» esclamò ridendo il simpatico e piccolo tedesco. «Non si spaventi, fa parte del mio mestiere conoscere tutti quanti, e mi ricordo d'averla vista una sera a casa di Lady Windermere. Spero che Sua Signoria sia in ottima salute. Le spiace tenermi compagnia mentre finisco la colazione? C'è dell'eccellente *pâté*, e gli amici sono così gentili da dire che il mio vino del Reno è migliore di quello che viene servito all'ambasciata tedesca» e prima che Lord Arthur potesse riaversi dalla sorpresa di essere stato riconosciuto, si

self seated in the back-room, sipping the most delicious Marcobrünner out of a pale yellow hock-glass marked with the Imperial monogram, and chatting in the friendliest manner possible to the famous conspirator.

'Explosive clocks,' said Herr Winckelkopf, 'are not very good things for foreign exportation, as, even if they succeed in passing the Custom House, the train service is so irregular, that they usually go off before they have reached their proper destination. If, however, you want one for home use, I can supply you with an excellent article, and guarantee that you will be satisfied with the result. May I ask for whom it is intended? If it is for the police, or for any one connected with Scotland Yard, I am afraid I cannot do anything for you. The English detectives are really our best friends, and I have always found that by relying on their stupidity, we can do exactly what we like. I could not spare one of them.'

'I assure you,' said Lord Arthur, 'that it has nothing to do with the police at all. In fact, the clock is intended for the Dean of Chichester.'

'Dear me! I had no idea that you felt so strongly about religion, Lord Arthur. Few young men do nowadays.'

'I am afraid you overrate me, Herr Winckelkopf,' said Lord Arthur, blushing. 'The fact is, I really know nothing about theology.'

'It is a purely private matter then?'

'Purely private.'

Herr Winckelkopf shrugged his shoulders, and left the room, returning in a few minutes with a round cake of dynamite about the size of a penny, and a pretty little French clock, surmounted by an ormolu figure of Liberty trampling on the hydra of Despotism.

trovò seduto in una camera sul retro, intento a centellinare uno squisito Marcobrünner da un calice di cristallo color giallo paglierino su cui era inciso il monogramma imperiale, e a conversare nel modo più cordiale possibile con il famoso terrorista.

«Gli orologi esplosivi» spiegò Herr Winckelkopf «non reggono all'esportazione estera perché, anche se riescono a passare la dogana, per il servizio ferroviario così irregolare spesso scoppiano prima di essere giunti a destinazione. Se, tuttavia, ne desidera uno per uso locale, le posso fornire un articolo eccellente, con la garanzia che sarà soddisfatto del risultato. Le posso chiedere chi è il destinatario? Se è per la polizia, o per qualcuno che lavora a Scotland Yard, temo di non poterla aiutare. I poliziotti inglesi sono davvero i nostri migliori amici, e ho imparato che, basandoci sulla loro stupidità, possiamo fare tutto quello che vogliamo. Non potrei fare a meno neanche di uno di loro.»

«Le assicuro» disse Lord Arthur «che il mio caso non ha niente a che vedere con la polizia. Se proprio lo vuole sapere, l'orologio è destinato al decano di Chichester.»

«Non immaginavo che la religione avesse per lei tanta importanza, Lord Arthur. Pochi giovani d'oggi condividono i suoi sentimenti.»

«Temo che lei mi sopravvaluti, Herr Winckelkopf» disse Lord Arthur, arrossendo. «A dire il vero, la teologia non è il mio forte.»

«Allora si tratta di una faccenda personale?»

«Strettamente personale.»

Herr Winckelkopf si strinse nelle spalle e lasciò la stanza per tornare qualche minuto dopo con una tavoletta di dinamite delle dimensioni di un penny e un piccolo orologio francese, sormontato da un'effigie in bronzo dorato della Libertà nell'atto di schiacciare l'idra del Dispotismo.

Lord Arthur's face brightened up when he saw it. 'That is just what I want,' he cried, 'and now tell me how it goes off.'

'Ah! there is my secret,' answered Herr Winckelkopf, contemplating his invention with a justifiable look of pride; 'let me know when you wish it to explode, and I will set the machine to the moment.'

'Well, to-day is Tuesday, and if you could send it off at once——'

'That is impossible; I have a great deal of important work on hand for some friends of mine in Moscow. Still, I might send it off to-morrow.'

'Oh, it will be quite time enough!' said Lord Arthur politely, 'if it is delivered to-morrow night or Thursday morning. For the moment of the explosion, say Friday at noon exactly. The Dean is always at home at that hour.'

'Friday, at noon,' repeated Herr Winckelkopf, and he made a note to that effect in a large ledger that was lying on a bureau near the fireplace.

'And now,' said Lord Arthur, rising from his seat, 'pray let me know how much I am in your debt.'

'It is such a small matter, Lord Arthur, that I do not care to make any charge. The dynamite comes to seven and sixpence, the clock will be three pounds ten, and the carriage about five shillings. I am only too pleased to oblige any friend of Count Rouvaloff's.'

'But your trouble, Herr Winckelkopf?'

'Oh, that is nothing! It is a pleasure to me. I do not work for money; I live entirely for my art.'

Lord Arthur laid down £4:2:6 on the table, thanked the little German for his kindness, and, having succeeded in declining an invitation to meet some Anarchists at a meat-tea on the following Saturday, left the house and went off to the Park.

For the next two days he was in a state of the great-

Il volto di Lord Arthur s'illuminò non appena vide l'oggetto. «È proprio quello di cui ho bisogno» gridò «e ora, la prego, m'insegni a farlo scoppiare!»

«Ah!, questo è un segreto della ditta» rispose Herr Winckelkopf, contemplando la sua invenzione con un giustificabile senso d'orgoglio «mi faccia solo sapere quando lo vuole far esplodere, e io le caricherò la macchina per il momento designato.»

«Dunque, oggi siamo a martedì, e se lo spedisce subito...»

«Impossibile: ho tanto lavoro urgente da sbrigare per degli amici di Mosca. Credo comunque di poterglielo inviare domani.»

«Oh, ci sarà tutto il tempo» replicò Lord Arthur in tono cortese «a patto però che venga spedito domani sera o, al massimo, giovedì mattina. Per l'esplosione, facciamo venerdì a mezzogiorno in punto. Il decano è sempre in casa a quell'ora.»

«Venerdì a mezzogiorno» ripeté Herr Winckelkopf, prendendone nota in un grande libro mastro che si trovava sulla scrivania accanto al camino.

«E ora» disse Lord Arthur, alzandosi «mi dica per cortesia quanto le devo.»

«È una tale inezia, Lord Arthur, che non merita parlarne. La dinamite fa sette scellini e sei penny, l'orologio tre sterline e mezzo, e il trasporto circa cinque scellini. Sono sempre lieto di servire gli amici del conte Rouvaloff.»

«Ma... per il disturbo, Herr Winckelkopf?»

«Macché disturbo! Per me è un piacere. Non lavoro per denaro; vivo interamente per la mia arte.»

Lord Arthur mise quattro sterline, due scellini e sei penny sul tavolo, ringraziò il piccolo tedesco per la sua gentilezza e, dopo avere declinato un invito a una cena in onore di alcuni anarchici per il sabato seguente, lasciò la casa e si recò al parco.

I successivi due giorni lo videro in uno stato di

est excitement, and on Friday at twelve o'clock he drove down to the Buckingham to wait for news. All the afternoon the stolid hall-porter kept posting up telegrams from various parts of the country giving the results of horse-races, the verdicts in divorce suits, the state of the weather, and the like, while the tape ticked out wearisome details about an all-night sitting in the House of Commons, and a small panic on the Stock Exchange. At four o'clock the evening papers came in, and Lord Arthur disappeared into the library with the *Pall Mall*, the *St James's*, the *Globe*, and the *Echo*, to the immense indignation of Colonel Goodchild, who wanted to read the reports of a speech he had delivered that morning at the Mansion House, on the subject of South African Missions, and the advisability of having black Bishops in every province, and for some reason or other had a strong prejudice against the *Evening News*. None of the papers, however, contained even the slightest allusion to Chichester, and Lord Arthur felt that the attempt must have failed. It was a terrible blow to him, and for a time he was quite unnerved. Herr Winckelkopf, whom he went to see the next day, was full of elaborate apologies, and offered to supply him with another clock free of charge, or with a case of nitro-glycerine bombs at cost price. But he had lost all faith in explosives, and Herr Winckelkopf himself acknowledged that everything is so adulterated nowadays, that even dynamite can hardly be got in a pure condition. The little German, however, while admitting that something must have gone wrong with the machinery, was not without hope that the clock might still go off, and instanced the case of a barometer that he had once sent to the military Governor at Odessa, which, though timed to explode in ten days,

grande eccitazione e il venerdì alle dodici si diresse verso il Buckingham, in attesa di notizie. Per tutto il pomeriggio lo stolido portiere del club non fece altro che recapitare telegrammi provenienti da svariate parti del paese in cui si davano i risultati delle corse dei cavalli, le sentenze dei processi di divorzio, le condizioni del tempo e roba simile, mentre il tasto telegrafico ticchettava i noiosi dettagli di una seduta straordinaria alla Camera dei Comuni e di un leggero panico alla Borsa Valori. I giornali della sera arrivarono alle quattro, e Lord Arthur si appartò nella sala di lettura con una copia del «Pall Mall», del «St James's», del «Globe» e dell'«Echo», provocando l'indignazione più viva del colonnello Goodchild, ansioso di leggere i resoconti del discorso che aveva tenuto quella mattina alla Mansion House, a proposito delle missioni in Sud Africa e dell'opportunità di eleggere vescovi neri in ogni provincia, e che per un motivo poco conosciuto nutriva una grande avversione nei confronti dell'«Evening News». Nemmeno un giornale, tuttavia, conteneva la minima allusione a Chichester, e Lord Arthur concluse che il suo attentato era fallito. Fu per lui un colpo terribile e per un certo periodo di tempo Lord Arthur rimase accasciato. Andò a trovare Herr Winckelkopf il giorno dopo e costui non fece altro che scusarsi con laboriose giustificazioni, e si offrì di pagare un altro orologio di tasca sua o di fornirgli una cassetta di bombe alla nitroglicerina al prezzo di fabbrica. Lord Arthur, tuttavia, non credeva più agli esplosivi e Herr Winckelkopf fu il primo a riconoscere che tutto è così adulterato oggigiorno che neppure la dinamite si può comprare allo stato puro. Il piccolo tedesco, pur concedendo che qualcosa doveva essere capitata all'orologeria, sperava ancora che avrebbe funzionato da un momento all'altro, e citò il caso di un barometro da lui inviato al

had not done so for something like three months. It was quite true that when it did go off, it merely succeeded in blowing a housemaid to atoms, the Governor having gone out of town six weeks before, but at least it showed that dynamite, as a destructive force, was, when under the control of machinery, a powerful, though a somewhat unpunctual agent. Lord Arthur was a little consoled by this reflection, but even here he was destined to disappointment, for two days afterwards, as he was going upstairs, the Duchess called him into her boudoir, and showed him a letter she had just received from the Deanery.

'Jane writes charming letters,' said the Duchess; 'you must really read her last. It is quite as good as the novels Mudie sends us.'

Lord Arthur seized the letter from her hand. It ran as follows:–

'THE DEANERY, CHICHESTER,

'27th May.

'My Dearest Aunt,

'Thank you so much for the flannel for the Dorcas Society, and also for the gingham. I quite agree with you that it is nonsense their wanting to wear pretty things, but everybody is so Radical and irreligious

governatore militare di Odessa che, pur essendo stato programmato in modo da esplodere entro dieci giorni, non era scoppiato se non dopo tre mesi. È altrettanto vero che quando finalmente esplose, riuscì solo a disintegrare una domestica, essendosi il governatore assentato dalla città più di sei settimane prima; ma almeno dimostrava che la dinamite, in quanto a forza distruttrice, era un mezzo molto efficace, sebbene non estremamente puntuale, se veniva sottoposta a un controllo meccanico. Lord Arthur si sentì un po' sollevato dal ragionamento, ma anche questa volta era destinato a subire una delusione poiché, due giorni dopo, mentre saliva al piano di sopra, la duchessa lo chiamò nel salotto e gli mostrò la lettera che aveva appena ricevuto dalla Canonica.

«Jane scrive lettere incantevoli» disse la duchessa «devi proprio leggere questa sua ultima. Non ha niente da invidiare ai romanzi che Mudie* ci spedisce di tanto in tanto.»

Lord Arthur le strappò il foglio di mano. Diceva:

Canonica di Chichester, 27 maggio.

Carissima zia,

*grazie mille per la flanella per la Dorcas Society,*** *e anche per la cotonina a righe. Convengo con te che è assurdo che certa gente voglia a tutti i costi vestire elegantemente, ma al giorno d'oggi sono tutti così radica-*

* Una biblioteca circolante (Mudie's Circulating Library) molto nota.

** Le Dorcas Societies (Dorcas, «gazzella», è la versione greca dell'aramaico Tabita, la donna resuscitata da san Pietro – cfr. *Atti degli Apostoli* 9 – e ricordata per le sue grandi opere di carità) erano associazioni femminili che, nell'ambito di una chiesa anglicana o di altre confessioni riformate, si preoccupavano di procurare o cucire personalmente abiti per i poveri; con quale mentalità Wilde lo dice con chiarezza attraverso le parole di Jane, ma è lecito augurarsi che non tutte le signore la pensassero come lei.

nowadays, that it is difficult to make them see that they should not try and dress like the upper classes. I am sure I don't know what we are coming to. As papa has often said in his sermons, we live in an age of unbelief.

'We have had great fun over a clock that an unknown admirer sent papa last Thursday. It arrived in a wooden box from London, carriage paid; and papa feels it must have been sent by some one who had read his remarkable sermon, "Is License Liberty?" for on the top of the clock was a figure of a woman, with what papa said was the cap of Liberty on her head. I didn't think it very becoming myself, but papa said it was historical, so I suppose it is all right. Parker unpacked it, and papa put it on the mantelpiece in the library, and we were all sitting there on Friday morning, when just as the clock struck twelve, we heard a whirring noise, a little puff of smoke came from the pedestal of the figure, and the goddess of Liberty fell off, and broke her nose on the fender! Maria was quite alarmed, but it looked so ridiculous, that James and I went off into fits of laughter, and even papa was amused. When we examined it, we found it was a sort of alarum clock, and that, if you set it to a particular hour, and put some gunpowder and a cap under a little hammer, it went off whenever you wanted. Papa said it must not remain in the library, as it made a noise, so Reggie carried it away to the schoolroom, and does nothing but have small explosions all day long. Do you think Arthur would like one for a wedding present? I suppose they are quite fashionable in London. Papa says they should do a great deal of good, as they show that Liberty can't last, but must fall down. Papa says Liberty was

li e atei che non è facile far capire loro che non dovrebbero affatto pretendere di vestirsi come le classi superiori. Non so proprio dove andremo a finire, di questo passo! Come dice papà nelle sue prediche, viviamo nell'epoca dello scetticismo.

Ci siamo divertiti moltissimo a causa di un orologio che uno sconosciuto ammiratore di papà gli ha mandato giovedì scorso. Ci è giunto da Londra in una scatoletta di legno, trasporto pagato; e papà è convinto che gli è stato mandato da qualcuno che ha letto la sua straordinaria omelia intitolata: «La Licenza è Libertà?» poiché l'orologio era sormontato da una figura di donna con in capo qualcosa che papà dice essere il berretto frigio. A me non è sembrato molto bello, ma papà dice che è storico, perciò suppongo che vada bene così. Parker ha disfatto il pacchetto, e papà l'ha messo sulla mensola del camino in biblioteca, e lì eravamo tutti seduti l'altro venerdì mattina quando a mezzogiorno in punto si è udito un rumore meccanico e una nuvoletta di fumo è uscita dal piedistallo della statuina, e la dèa della libertà è caduta sul pavimento, frantumandosi il naso contro il parafuoco. Maria si è spaventata molto, ma era tutto così ridicolo che James e io siamo scoppiati a ridere, e persino papà si è fatto sfuggire una risatina. Quando l'abbiamo esaminata, abbiamo scoperto che era una specie di sveglia e che, se viene caricata a una certa ora, dopo averle inserito della polvere da sparo e una miccia sotto un martelletto, può scoppiare ogni qual volta lo si desideri. Papà non vuole l'oggetto in biblioteca, poiché è rumoroso, sicché Reggie l'ha portato nel suo studio, e non fa altro tutto il santo giorno che provocare esplosioni in miniatura. Credi che ad Arthur piacerebbe qualcosa di simile per le nozze? Suppongo che siano molto in auge a Londra. Papà è convinto che abbiano un effetto benefico giacché dimostrano che la libertà ha i giorni contati e che è destinata a crollare. Papà dice che la libertà è

invented at the time of the French Revolution. How awful it seems!

'I have now to go to the Dorcas, where I will read them your most instructive letter. How true, dear aunt, your idea is, that in their rank of life they should wear what is unbecoming. I must say it is absurd, their anxiety about dress, when there are so many more important things in this world, and in the next. I am so glad your flowered poplin turned out so well, and that your lace was not torn. I am wearing my yellow satin, that you so kindly gave me, at the Bishop's on Wednesday, and think it will look all right. Would you have bows or not? Jennings says that every one wears bows now, and that the underskirt should be frilled. Reggie has just had another explosion, and papa has ordered the clock to be sent to the stables. I don't think papa likes it so much as he did at first, though he is very flattered at being sent such a pretty and ingenious toy. It shows that people read his sermons, and profit by them.

'Pap sends his love, in which James, and Reggie, and Maria all unite, and, hoping that Uncle Cecil's gout is better, believe me, dear aunt, ever your affectionate niece,

JANE PERCY.

'*P.S.* – Do tell me about the bows. Jennings insists they are the fashion.'

Lord Arthur looked so serious and unhappy over the letter, that the Duchess went into fits of laughter.

'My dear Arthur,' she cried, 'I shall never show you a young lady's letter again! But what shall I say about the clock? I think it is a capital invention, and I should like to have one myself.'

un'invenzione che risale ai tempi della rivoluzione francese... Mi vengono i brividi!

Debbo chiudere poiché sono attesa alla Dorcas Society dove leggerò la tua lettera, così edificante. Hai proprio ragione, cara zia, quando scrivi che, visto il loro rango sociale, i poveri dovrebbero indossare soltanto abiti che non stanno bene. Debbo dire che la trovo ridicola, questa loro ossessione per il vestiario, quando esistono cose ben più serie in questo mondo, e nel prossimo. Sono davvero contenta che il tuo abito di seta con disegno floreale abbia avuto successo e che il merletto non si sia strappato. Mercoledì indosserò il vestito di raso giallo, quello che mi hai così gentilmente regalato, al rinfresco del vescovo, e penso di farci un figurone. Pensi che ci vogliano dei nodi? La Jennings mi dice che oggi tutte portano nodi sul vestito e che la sottogonna dovrebbe avere una gala. Reggie ha prodotto un'altra delle sue esplosioni e papà ha ordinato di mandare l'orologio in scuderia. Non credo che a papà piaccia come prima, anche se si sente molto lusingato dal fatto che qualcuno gli abbia inviato un balocco così grazioso e ingegnoso. È segno evidente che la gente legge le sue omelie, e ne trae profitto.

Papà ti ricorda sempre con affetto, e così pure James, Reggie e Maria e, sperando che la gotta di zio Cecil migliori, credimi, zia cara, la tua affezionata nipote.

Jane Percy

P.S. Fammi sapere qualcosa circa i nodi. La Jennings insiste col dire che sono di moda.

Lord Arthur aveva un'aria tanto seria e infelice leggendo la lettera che la duchessa scoppiò a ridere.

«Arthur caro» esclamò «non ti mostrerò più la lettera di una signorina! Ma cosa dovrei dire dell'orologio? Trovo che sia una magnifica invenzione, e vorrei averne uno anch'io.»

'I don't think much of them,' said Lord Arthur, with a sad smile, and, after kissing his mother, he left the room.

When he got upstairs, he flung himself on a sofa, and his eyes filled with tears. He had done his best to commit this murder, but on both occasions he had failed, and through no fault of his own. He had tried to do his duty, but it seemed as if Destiny herself had turned traitor. He was oppressed with the sense of the barrenness of good intentions, of the futility of trying to be fine. Perhaps, it would be better to break off the marriage altogether. Sybil would suffer, it is true, but suffering could not really mar a nature so noble as hers. As for himself, what did it matter? There is always some war in which a man can die, some cause to which a man can give his life, and as life had no pleasure for him, so death had no terror. Let Destiny work out his doom. He would not stir to help her.

At half-past seven he dressed, and went down to the club. Surbiton was there with a party of young men, and he was obliged to dine with them. Their trivial conversation and idle jests did not interest him, and as soon as coffee was brought he left them, inventing some engagement in order to get away. As he was going out of the club, the hall-porter handed him a letter. It was from Herr Winckelkopf, asking him to call down the next evening, and look at an explosive umbrella, that went off as soon as it was opened. It was the very latest invention, and had just arrived from Geneva. He tore the letter up into fragments. He had made up his mind not to try any more experiments. Then he wandered down to the Thames Embankment, and sat for hours by the river. The moon peered through a mane of tawny clouds, as if

«Io invece non ne penso gran che» rispose Lord Arthur con un sorriso triste e, dopo aver baciato sua madre, lasciò la stanza.

Quando giunse al piano di sopra si gettò sul divano, e i suoi occhi si riempirono di lacrime. Aveva fatto del suo meglio per commettere il delitto ma aveva fatto cilecca entrambe le volte, e non per colpa sua. Aveva cercato di fare il suo dovere ma sembrava che il destino stesso l'avesse tradito. Si sentiva schiacciato dalla sterilità delle buone intenzioni, dalla futilità di cercare di essere un uomo probo. Forse avrebbe fatto meglio a rompere il fidanzamento una volta per tutte. Sybil avrebbe sofferto, è vero, ma il dolore non avrebbe mai potuto rovinare una natura nobile come la sua. E quanto a lui, cosa gli importava? C'è sempre qualche guerra in cui un uomo può morire, qualche causa per la quale un uomo può dare la vita, e poiché la vita non gli offriva più alcun piacere, egli era ormai immune dai terrori della morte. Fosse il destino a compiere il fato che gli era destinato. Non avrebbe fatto niente per aiutarlo.

Alle sette e mezzo si vestì e si diresse al club. Vi trovò Surbiton in compagnia di molti giovanotti, e fu obbligato a pranzare con loro. La loro vuota conversazione e i loro frivoli scherzi non lo interessavano affatto e, non appena fu servito il caffè, si congedò inventando un precedente impegno. Mentre stava uscendo dal club, il portiere gli consegnò una lettera. Era di Herr Winckelkopf che gli chiedeva di andarlo a trovare la sera seguente per esaminare un ombrello esplosivo che scoppiava appena veniva aperto. Era l'ultimo ritrovato, appena giunto da Ginevra. Strappò la lettera in mille pezzi. Aveva deciso di non tentare più altri esperimenti. Camminò allora senza meta verso il Tamigi, e si sedette per ore e ore nelle vicinanze del fiume. La luna faceva capolino attraverso una criniera di nuvole rossicce, come un

it were a lion's eye, and innumerable stars spangled the hollow vault, like gold dust powdered on a purple dome. Now and then a barge swung out into the turbid stream, and floated away with the tide, and the railway signals changed from green to scarlet as the trains ran shrieking across the bridge. After some time, twelve o'clock boomed from the tall tower at Westminster, and at each stroke of the sonorous bell the night seemed to tremble. Then the railway lights went out, one solitary lamp left gleaming like a large ruby on a giant mast, and the roar of the city became fainter.

At two o'clock he got up, and strolled towards Blackfriars. How unreal everything looked! How like a strange dream! The houses on the other side of the river seemed built out of darkness. One would have said that silver and shadow had fashioned the world anew. The huge dome of St Paul's loomed like a bubble through the dusky air.

As he approached Cleopatra's Needle he saw a man leaning over the parapet, and as he came nearer the man looked up, the gas-light falling full upon his face.

It was Mr Podgers, the cheiromantist! No one could mistake the fat, flabby face, the gold-rimmed spectacles, the sickly feeble smile, the sensual mouth.

Lord Arthur stopped. A brilliant idea flashed across him, and he stole softly up behind. In a moment he had seized Mr Podgers by the legs, and flung him into the Thames. There was a coarse oath, a heavy splash, and all was still. Lord Arthur looked anxiously over, but could see nothing of the cheiromantist but a tall hat, pirouetting in an eddy of moonlit water. After a time it also sank, and no trace

occhio leonino, e innumerevoli stelle ricamavano la volta concava del cielo, simili a lustrini dorati su una cupola purpurea. Ogni tanto una chiatta prendeva il largo, aiutata dalla marea che la portava via con sé su per la torbida corrente, e le segnaletiche ferroviarie mutavano colore, dal verde al rosso, mentre i treni correvano stridendo nell'attraversare il ponte. Dopo un certo tempo, la mezzanotte rintoccò dall'alto della torre di Westminster, e a ogni colpo della campana la notte stessa sembrava sussultare. Poi le luci della ferrovia si spensero, un'unica lanterna solitaria rimase a brillare come un grosso rubino su un gigantesco albero maestro, e il ruggito della città si affievolì.

Alle due egli si alzò e camminò verso Blackfriars. Come tutto appariva irreale! Era proprio simile a uno strano sogno. Le case sul lato opposto del fiume sembravano incatramate dalle tenebre. Si sarebbe detto che l'argento e l'ombra avessero creato un mondo nuovo. La grande cupola di San Paolo si profilava come una tetra bolla nell'aria oscura.

Quando fu in prossimità dell'obelisco di Cleopatra vide un uomo appoggiato al parapetto e, quando gli fu vicino, costui alzò la testa, e la luce del lampione a gas gli illuminò il volto.

Era il signor Podgers, il chiromante! Nessuno avrebbe potuto ingannarsi su quella faccia grassa e flaccida, quegli occhiali cerchiati d'oro e quel malsano sorriso dipinto sulla bocca sensuale.

Lord Arthur si fermò. Un'idea brillante gli balenò nel cervello, mentre lo raggiungeva di soppiatto alle spalle; un momento dopo afferrò Podgers per le gambe e lo scaraventò nel Tamigi. Si udì una bestemmia, un tonfo e nulla più. Lord Arthur guardò giù ansiosamente, ma del chiromante non vide altro che il cappello a cilindro piroettare in un mulinello d'acqua illuminato dalla luna. Dopo qualche istante,

of Mr Podgers was visible. Once he thought that he caught sight of the bulky misshapen figure striking out for the staircase by the bridge, and a horrible feeling of failure came over him, but it turned out to be merely a reflection, and when the moon shone out from behind a cloud it passed away. At last he seemed to have realised the decree of destiny. He heaved a deep sigh of relief, and Sybil's name came to his lips.

'Have you dropped anything, sir?' said a voice behind him suddenly.

He turned round, and saw a policeman with a bull's-eye lantern.

'Nothing of importance, sergeant,' he answered, smiling, and hailing a passing hansom, he jumped in, and told the man to drive to Belgrave Square.

For the next few days he alternated between hope and fear. There were moments when he almost expected Mr Podgers to walk into the room, and yet at other times he felt that Fate could not be so unjust to him. Twice he went to the cheiromantist's address in West Moon Street, but he could not bring himself to ring the bell. He longed for certainty, and was afraid of it.

Finally it came. He was sitting in the smoking-room of the club having tea, and listening rather wearily to Surbiton's account of the last comic song at the Gaiety, when the waiter came in with the evening papers. He took up the *St James's*, and was listlessly turning over its pages, when this strange heading caught his eye:

SUICIDE OF A CHEIROMANTIST.

He turned pale with excitement, and began to read. The paragraph ran as follows:–

scomparve anch'esso e del signor Podgers non rimase il benché minimo segno. Gli parve allora di vedere la massa informe del chiromante arrancare faticosamente su per la scala di ferro vicino al ponte, e lo invase un terribile timore di aver fallito, ma in realtà si trattava solo di un riflesso di luce che scomparve non appena la luna tornò a brillare da dietro una nuvola. Sembrava dunque aver finalmente realizzato il decreto del destino. Emise un profondo sospiro di sollievo e il nome di Sybil gli venne alle labbra.

«Le è caduto qualcosa, signore?» disse all'improvviso una voce dietro di lui.

Si voltò e vide un poliziotto con in mano una lanterna cieca.

«Niente di importante, sergente» rispose con un sorriso e, dopo aver chiamato una carrozza, vi saltò dentro e disse al cocchiere di portarlo subito in Belgrave Square.

Vi furono momenti nei quali quasi si aspettava di vedersi apparire il signor Podgers dinanzi, eppure era convinto che il destino non poteva essere tanto ingiusto con lui. Ben due volte si recò all'indirizzo del chiromante nella West Moon Street, ma non ebbe il coraggio di suonare il campanello. Sopra ogni altra cosa desiderava la certezza e al tempo stesso la temeva.

Essa giunse, finalmente. Era seduto nella sala da fumo del club a prendere il tè e ascoltava annoiato il resoconto di Surbiton dell'ultima canzone comica ascoltata al Gaiety, quando entrò il cameriere con i giornali della sera. Sfogliò il «St James's» svogliatamente e il seguente titolo curioso attirò la sua attenzione:

SUICIDIO DI UN CHIROMANTE

Si fece pallido dall'emozione, e cominciò a leggere. L'articoletto proseguiva dicendo che:

> Yesterday morning, at seven o'clock, the body of Mr Septimus R. Podgers, the eminent cheiromantist, was washed on shore at Greenwich, just in front of the Ship Hotel. The unfortunate gentleman had been missing for some days, and considerable anxiety for his safety had been felt in cheiromantic circles. It is supposed that he committed suicide under the influence of a temporary mental derangement, caused by overwork, and a verdict to that effect was returned this afternoon by the coroner's jury. Mr Podgers had just completed an elaborate treatise on the subject of the Human Hand, that will shortly be published, when it will no doubt attract much attention. The deceased was sixty-five years of age, and does not seem to have left any relations.

Lord Arthur rushed out of the club with the paper still in his hand, to the immense amazement of the hall-porter, who tried in vain to stop him, and drove at once to Park Lane. Sybil saw him from the window, and something told her that he was the bearer of good news. She ran down to meet him, and, when she saw his face, she knew that all was well.

'My dear Sybil,' cried Lord Arthur, 'let us be married tomorrow!'

'You foolish boy! Why the cake is not even ordered!' said Sybil, laughing through her tears.

VI

When the wedding took place, some three weeks later, St Peter's was crowded with a perfect mob of smart people. The service was read in a most impressive manner by the Dean of Chichester, and everybody agreed that they had never seen a handsomer couple than the bride and bridegroom. They were more than handsome, however – they were happy.

> Ieri mattina alle sette, il corpo del signor Septimus R. Podgers, il celebre chiromante, è stato gettato a riva a Greenwich proprio davanti allo Ship Hotel. Lo sventurato signore era scomparso da diversi giorni e nei circoli chiromantici si temeva già il peggio. Si suppone che si sia suicidato per via di un temporaneo esaurimento nervoso, dovuto a un eccesso di lavoro, e un verdetto in questo senso è stato emesso oggi pomeriggio dal coroner. Il signor Podgers aveva da poco terminato un complesso trattato sulla mano umana che verrà pubblicato tra breve e che senz'altro susciterà grande interesse. Il defunto aveva sessantacinque anni, e sembra non avere lasciato eredi.

Lord Arthur corse fuori del club con il giornale ancora in mano, strabiliando il portiere che tentò invano di fermarlo, e si precipitò in Park Lane. Sybil lo vide dalla finestra, e qualcosa le fece intuire che il fidanzato recava buone notizie. Corse di sotto a incontrarlo e, quando lo vide in faccia, comprese che tutto era risolto.

«Sybil, cara» gridò Arthur «sposiamoci domani!»

«Che sciocco! Non abbiamo ancora ordinato la torta!» rispose Sybil ridendo tra le lacrime.

VI

Quando il matrimonio ebbe luogo, tre settimane dopo, la chiesa di San Pietro era stipata di gente molto avvenente. La cerimonia fu condotta in modo solenne e austero dal decano di Chichester, e tutti furono d'accordo nel dire che mai si era veduta una coppia più bella della sposa e dello sposo. Ma erano molto più che belli, erano felici. Mai, neanche per un solo

Never for a single moment did Lord Arthur regret all that he had suffered for Sybil's sake, while she, on her side, gave him the best things a woman can give to any man – worship, tenderness, and love. For them romance was not killed by reality. They always felt young.

Some years afterwards, when two beautiful children had been born to them, Lady Windermere came down on a visit to Alton Priory, a lovely old place, that had been the Duke's wedding present to his son; and one afternoon as she was sitting with Lady Arthur under a lime-tree in the garden, watching the little boy and girl as they played up and down the rose-walk, like fitful sunbeams, she suddenly took her hostess's hand in hers, and said, 'Are you happy, Sybil?'

'Dear Lady Windermere, of course I am happy. Aren't you?'

'I have no time to be happy, Sybil. I always like the last person who is introduced to me; but, as a rule, as soon as I know people I get tired of them.'

'Don't your lions satisfy you, Lady Windermere?'

'Oh dear, no! lions are only good for one season. As soon as their manes are cut, they are the dullest creatures going. Besides, they behave very badly, if you are really nice to them. Do you remember that horrid Mr Podgers? He was a dreadful impostor. Of course, I didn't mind that at all, and even when he wanted to borrow money I forgave him, but I could not stand his making love to me. He has really made me hate cheiromancy. I go in for telepathy now. It is much more amusing.'

'You mustn't say anything against cheiromancy here, Lady Windermere; it is the only subject that

attimo, Lord Arthur rimpianse quel che aveva passato per amore di Sybil, mentre lei, a sua volta, gli diede le cose migliori che una donna può dare a un uomo: venerazione, tenerezza e amore. Il loro romanzo rosa non si tramutò mai in prosa realista poiché si sentirono sempre giovani.

Qualche anno dopo, quando erano già nati due meravigliosi bambini, Lady Windermere andò a trovarli ad Alton Priory, un'antica e amena dimora che il duca aveva dato al figlio come regalo di nozze; e un pomeriggio mentre era seduta con Lady Sybil sotto un cedro del giardino, osservando il bambino e la bambina che si rincorrevano su e giù per il viale delle rose, come due intermittenti raggi di sole, Lady Windermere prese improvvisamente la mano della padrona di casa e, stringendola nella sua, le chiese: «Sei felice, Sybil?».

«Cara Lady Windermere, certo che lo sono. E lei?»

«Non ne ho il tempo, Sybil. Mi piace sempre l'ultima persona che mi viene presentata, ma, in genere, mi stanca non appena l'ho conosciuta meglio.»

«I suoi "leoni" non l'accontentano più, Lady Windermere?»

«Oh, per niente, mia cara! Si esauriscono dopo una sola stagione. Non appena si taglia loro la criniera, ecco che diventano subito le creature più insignificanti di questo mondo. E poi si comportano malissimo, se ti dimostri un po' carina con loro. Ti ricordi di quell'orrendo signor Podgers? Era un impostore inveterato. Certo, non me ne importava niente, e arrivai persino a perdonargli che mi chiedesse dei soldi in prestito, ma che mi facesse anche la corte, quello no, non gliel'ho mai perdonato. Mi ha fatto odiare la chiromanzia. Adesso mi sono data alla telepatia. È molto più piacevole.»

«Non bisogna parlar male della chiromanzia in questa casa, Lady Windermere: è l'unico argomento

Arthur does not like people to chaff about. I assure you he is quite serious over it.'

'You don't mean to say that he believes in it, Sybil?'

'Ask him, Lady Windermere, here he is;' and Lord Arthur came up the garden with a large bunch of yellow roses in his hand, and his two children dancing round him.

'Lord Arthur?'

'Yes, Lady Windermere.'

'You don't mean to say that you believe in cheiromancy?'

'Of course I do,' said the young man, smiling.

'But why?'

'Because I owe to it all the happiness of my life,' he murmured, throwing himself into a wicker chair.

'My dear Lord Arthur, what do you owe to it?'

'Sybil,' he answered, handing his wife the roses, and looking into her violet eyes.

'What nonsense!' cried Lady Windermere. 'I never heard such nonsense in all my life.'

sul quale Arthur non ammette scherzi. Le assicuro che lo prende molto sul serio.»

«Non vorrai mica dirmi che ci crede, Sybil?»

«Eccolo qui, glielo chieda di persona» e Lord Arthur si avvicinò a loro con in mano un grande mazzo di rose gialle, inseguito dai due bambini che gli danzavano intorno.

«Lord Arthur?»

«Sì, Lady Windermere.»

«Non vorrà dirmi che crede davvero nella chiromanzia!»

«Certo che ci credo» rispose il giovane sorridendo.

«E perché mai?»

«Perché a essa debbo tutta la felicità della mia vita» mormorò, lasciandosi cadere in una sedia di vimini.

«Mio caro Lord Arthur, cosa mai le deve?»

«Sybil» rispose, porgendo a sua moglie le rose, e guardandola negli occhi violetti.

«Che assurdità!» gridò Lady Windermere «non ho mai udito una sciocchezza simile, in tutta la mia vita.»

The Sphinx without a Secret

An etching

One afternoon I was sitting outside the Café de la Paix, watching the splendour and shabbiness of Parisian life, and wondering over my vermouth at the strange panorama of pride and poverty that was passing before me, when I heard some one call my name. I turned round, and saw Lord Murchison. We had not met since we had been at college together, nearly ten years before, so I was delighted to come across him again, and we shook hands warmly. At Oxford we had been great friends. I had liked him immensely, he was so handsome, so high-spirited, and so honourable. We used to say of him that he would be the best of fellows, if he did not always speak the truth, but I think we really admired him all the more for his frankness. I found him a good deal changed. He looked anxious and puzzled, and seemed to be in doubt about something. I felt it could not be modern scepticism, for Murchison was the stoutest of Tories, and believed in the Pentateuch as firmly as he believed in the House of Peers; so I concluded that it was a woman, and asked him if he was married yet.

'I don't understand women well enough,' he answered.

'My dear Gerald,' I said, 'women are meant to be loved, not to be understood.'

La sfinge senza enigmi

Acquaforte

Un pomeriggio ero seduto fuori del Café de la Paix, intento a osservare gli splendori e le miserie della vita parigina meditando, con un bicchiere di vermut in mano, sulla strana visione fatta di orgoglio e di miseria che mi sfilava dinanzi agli occhi, quando mi sentii chiamare per nome. Mi voltai e vidi Lord Murchison. Non l'avevo più visto dai tempi dell'università, quasi dieci anni prima, ero molto contento di incontrarlo e gli strinsi calorosamente la mano. Eravamo stati molto amici a Oxford. Mi piaceva immensamente: era così bello, così brillante e così leale! Dicevamo di lui che sarebbe stato il migliore degli uomini, se solo non avesse sempre detto la verità, ma credo che fosse proprio la sua franchezza a renderlo ancora più simpatico. Lo trovai molto cambiato. Aveva un'aria angosciata e perplessa, e sembrava avere forti dubbi su qualcosa. Non poteva trattarsi del moderno scetticismo, poiché Murchison era un Tory convinto, e credeva nel Pentateuco con la stessa fermezza con cui credeva nella Camera dei Lord; dovetti dunque concludere che si trattava di una donna, e gli chiesi se fosse già sposato.

«Non capisco abbastanza le donne per sposarmi» rispose.

«Mio caro Gerald» dissi «le donne non vanno capite, ma amate.»

'I cannot love where I cannot trust,' he replied.

'I believe you have a mystery in your life, Gerald,' I exclaimed; 'tell me about it.'

'Let us go for a drive,' he answered, 'it is too crowded here. No, not a yellow carriage, any other colour – there, that dark-green one will do;' and in a few moments we were trotting down the boulevard in the direction of the Madeleine.

'Where shall we go to?' I said.

'Oh, anywhere you like!' he answered – 'to the restaurant in the Bois; we will dine there, and you shall tell me all about yourself.'

'I want to hear about you first,' I said. 'Tell me your mystery.'

He took from his pocket a little silver-clasped morocco case, and handed it to me. I opened it. Inside there was the photograph of a woman. She was tall and slight, and strangely picturesque with her large vague eyes and loosened hair. She looked like a *clairvoyante*, and was wrapped in rich furs.

'What do you think of that face?' he said; 'is it truthful?'

I examined it carefully. It seemed to me the face of some one who had a secret, but whether that secret was good or evil I could not say. Its beauty was a beauty moulded out of many mysteries – the beauty, in fact, which is psychological, not plastic – and the faint smile that just played across the lips was far too subtle to be really sweet.

«Non riesco ad amare chi non mi dà affidamento» rispose.

«Penso proprio che ci sia un mistero nella tua vita, Gerald!» esclamai. «Dimmi tutto.»

«Andiamo a fare un giro in carrozza» rispose «c'è troppa gente qui. No, non una carozza gialla! Una di qualsiasi altro colore... ecco, quella verde scuro può andare benissimo» e dopo qualche minuto stavamo trottando lungo il Boulevard in direzione della Madeleine.*

«Dove andiamo?» chiesi.

«Oh, dove ti pare!» rispose. «Che ne dici del ristorante nel Bois? Pranzeremo lì e mi dirai tutto di te.»

«No, voglio prima sentire la tua storia» dissi. «Rivelami il tuo segreto.»

Tirò fuori dalla tasca un piccolo astuccio di marocchino, con un fermaglio d'argento, e me lo porse. Lo aprii. Dentro c'era la fotografia di una donna. Era alta e snella, e strana e pittoresca con i grandi occhi assenti e i capelli sciolti sulle spalle. Sembrava una *clairvoyante* ed era avvolta in una sfarzosa pelliccia.

«Che ne pensi del volto?» mi chiese Gerald. «Lo trovi sincero?»

Lo esaminai attentamente. Mi sembrava il viso di una persona che aveva un segreto, ma se il segreto fosse malvagio o no, questo non riuscii a intuirlo. La sua bellezza era stata plasmata da un'infinità di misteri – quella bellezza che, in effetti, è psicologica, non plastica – e il lieve sorriso che increspava leggermente le sue labbra era troppo penetrante per essere dolce.

* Alla chiesa della Madeleine, situata nella piazza omonima, si giunge o attraverso i Boulevards des Italiens, des Capucines o de la Madeleine, o, dall'altro lato, attraverso il Boulevard Malesherbes. Wilde non precisa di quale Boulevard si tratti, ma, dal contesto, sembra più probabile che Lord Murchison e il narratore abbiano seguito il primo percorso.

'Well,' he cried impatiently, 'what do you say?'

'She is the Gioconda in sables,' I answered. 'Let me know all about her.'

'Not now,' he said; 'after dinner;' and began to talk of other things.

When the waiter brought us our coffee and cigarettes I reminded Gerald of his promise. He rose from his seat, walked two or three times up and down the room, and, sinking into an armchair, told me the following story:–

'One evening,' he said, 'I was walking down Bond Street about five o'clock. There was a terrific crush of carriages, and the traffic was almost stopped. Close to the pavement was standing a little yellow brougham, which, for some reason or other, attracted my attention. As I passed by there looked out from it the face I showed you this afternoon. It fascinated me immediately. All that night I kept thinking of it, and all the next day. I wandered up and down that wretched Row, peering into every carriage, and waiting for the yellow brougham; but I could not find *ma belle inconnue*, and at last I began to think she was merely a dream. About a week afterwards I was dining with Madame de Rastail. Dinner was for eight o'clock; but at half-past eight we were still waiting in the drawing-room. Finally the servant threw open the door, and announced Lady Alroy. It was the woman I had been looking for. She

«Ebbene» esclamò impaziente «cosa ne pensi?»

«È la Gioconda in pelliccia di zibellino» risposi. «Dimmi tutto sul suo conto.»

«Non ora» disse lui «dopo pranzo» e incominciò a parlare di altre cose.

Quando il cameriere ci ebbe portato il caffè e le sigarette, ricordai a Gerald la sua promessa. Si alzò da tavola, camminò su e giù per la stanza almeno un paio di volte e poi, sprofondando in una poltrona, mi raccontò la seguente storia:

«Una sera verso le cinque, stavo camminando per Bond Street. C'era un pauroso assembramento di carrozze e il traffico era press'a poco bloccato. Vicino al marciapiede stava una piccola vettura gialla che, per qualche motivo che ora non ricordo, attirò la mia attenzione. Mentre vi passavo accanto, si sporse fuori dal finestrino quel volto che ti ho mostrato oggi pomeriggio. Mi affascinò immediatamente. Pensai a esso per tutta la notte e per tutto il giorno seguente. Vagai su e giù per il solito* Row, osservando ogni carrozza e aspettandomi di veder arrivare quella vettura gialla, ma non riuscii a trovare *ma belle inconnue*, e infine cominciai a considerarla null'altro che un sogno. Circa una settimana dopo, venni invitato a cena da Madame de Rastail. La cena era stata fissata per le otto, ma alle otto e mezza ci trovavamo ancora tutti in salotto, ad aspettare. Alla fine, un domestico spalancò l'uscio e annunciò Lady Alroy. Era la donna che avevo cercato. Entrò lentamente, simile

* «*Wretched*» nell'originale («sciagurato, sventurato, misero», e, in questo contesto, fastidioso, solito, inevitabile) potrebbe essere anche un gioco di parole sul nome completo del celebre viale di Hyde Park destinato alle cavalcate: Rotten Row; l'espressione è probabilmente una deformazione del francese «*Route du Roi*», «strada del re», ma «*rotten*» ha il significato di «marcio», in senso reale e figurato.

came in very slowly, looking like a moonbeam in grey lace, and, to my intense delight, I was asked to take her in to dinner. After we had sat down I remarked quite innocently, "I think I caught sight of you in Bond Street some time ago, Lady Alroy." She grew very pale, and said to me in a low voice, "Pray do not talk so loud; you may be overheard." I felt miserable at having made such a bad beginning, and plunged recklessly into the subject of the French plays. She spoke very little, always in the same low musical voice, and seemed as if she was afraid of some one listening. I fell passionately, stupidly in love, and the indefinable atmosphere of mystery that surrounded her excited my most ardent curiosity. When she was going away, which she did very soon after dinner, I asked her if I might call and see her. She hesitated for a moment, glanced round to see if any one was near us, and then said, "Yes; to-morrow at a quarter to five." I begged Madame de Rastail to tell me about her; but all that I could learn was that she was a widow with a beautiful house in Park Lane, and as some scientific bore began a dissertation on widows, as exemplifying the survival of the matrimonially fittest, I left and went home.

'The next day I arrived at Park Lane punctual to the moment, but was told by the butler that Lady Alroy had just gone out. I went down to the club quite unhappy and very much puzzled, and after long consideration wrote her a letter, asking if I might be allowed to try my chance some other afternoon. I had no answer for several days, but at last I got a little note

a un raggio di luna avvolto di merletto grigio e, con mio intenso piacere, mi fu chiesto di accompagnarla a tavola. Dopo che ci fummo seduti, le dissi con aria innocente: "Credo di averla intravista in Bond Street un po' di tempo fa, Lady Alroy". Ella diventò pallidissima, e mi disse a voce bassa: "La prego di parlare più piano, qualcuno potrebbe sentirla". Mi sentii sconsolato per aver iniziato così male, e mi gettai a corpo morto sul tema del teatro francese. Ella parlò pochissimo, e sempre nello stesso tono di voce basso e musicale, e sembrava quasi avesse paura che qualcuno la stesse ascoltando. Mi innamorai di lei appassionatamente, stupidamente, e quella vaga atmosfera di mistero che la circondava accese in me una incontenibile curiosità. Al momento di accomiatarsi, che nel suo caso fu quasi subito dopo la fine della cena, le chiesi se potevo recarmi a casa sua per farle visita. Esitò un istante, si guardò attorno per controllare se ci fosse qualcuno ad ascoltarla, e poi disse: "Sì, domani alle cinque meno un quarto". Implorai Madame de Rastail di dirmi tutto sul suo conto ma le sole informazioni che riuscii a racimolare furono che era vedova e aveva una bellissima casa in Park Lane e, quando il solito guastafeste amante della scienza cominciò a sciorinare una dissertazione sulle vedove viste come la dimostrazione vivente della sopravvivenza del coniuge più adatto al matrimonio, salutai e me ne andai a casa.

«Il giorno seguente arrivai in Park Lane così puntuale da spaccare il secondo, ma fui informato dal maggiordomo che Lady Alroy era appena uscita. Mi recai al club sentendomi infelice e alquanto turbato e, dopo qualche ripensamento, decisi di scriverle una lettera, chiedendole se potevo ardire di ottenere un nuovo appuntamento per qualche altro pomeriggio. Non ricevetti la sua risposta se non diversi giorni dopo, una minuscola nota nella quale mi informa-

saying she would be at home on Sunday at four, and with this extraordinary postscript: "Please do not write to me here again; I will explain when I see you." On Sunday she received me, and was perfectly charming; but when I was going away she begged of me if I ever had occasion to write to her again, to address my letter to "Mrs Knox, care of Whittaker's Library, Green Street." "There are reasons," she said, "why I cannot receive letters in my own house."

'All through the season I saw a great deal of her, and the atmosphere of mystery never left her. Sometimes I thought that she was in the power of some man, but she looked so unapproachable that I could not believe it. It was really very difficult for me to come to any conclusion, for she was like one of those strange crystals that one sees in museums, which are at one moment clear, and at another clouded. At last I determined to ask her to be my wife: I was sick and tired of the incessant secrecy that she imposed on all my visits, and on the few letters I sent her. I wrote to her at the library to ask her if she could see me the following Monday at six. She answered yes, and I was in the seventh heaven of delight. I was infatuated with her: in spite of the mystery, I thought then – in consequence of it, I see now. No; it was the woman herself I loved. The mystery troubled me, maddened me. Why did chance put me in its track?'

'You discovered it, then?' I cried.

'I fear so,' he answered. 'You can judge for yourself.'

'When Monday came round I went to lunch with my uncle, and about four o'clock found myself in the Marylebone Road. My uncle, you know, lives in Regent's Park. I wanted to get to Piccadilly, and took a short cut through a lot of shabby little streets. Sud-

va che la domenica sarebbe stata in casa alle quattro, aggiungendo il seguente, straordinario poscritto: "La prego di non scrivermi più a questo indirizzo; le spiegherò tutto quando la vedrò". La domenica mi ricevette e fu estremamente cordiale; eppure, mentre stavo per andarmene mi implorò, nel caso desiderassi scriverle di nuovo, di indirizzare ogni corrispondenza alla "Signora Knox, presso la Biblioteca Whittaker's, Green Street". "Esiste più di un motivo" ella disse "per cui non posso ricevere lettere a casa."

«La vidi spesso a tutti gli appuntamenti più mondani di Londra, e quell'atmosfera di mistero non l'abbandonò mai. Talvolta pensavo che fosse plagiata da qualche uomo, ma aveva un'aria così inavvicinabile che io stesso stentavo a crederci. Non riuscivo a giungere a qualche spiegazione plausibile, giacché ella era simile a quegli strani cristalli che si vedono nei musei e, a seconda della posizione, sono prima trasparenti e poi opachi. Alla fine decisi di chiederle di sposarmi: ero stufo di tutti quei segreti che m'imponeva di rispettare quando le facevo visita o quando le scrivevo una lettera. Scrissi presso la biblioteca per chiederle se avrebbe acconsentito a vedermi il lunedì seguente, alle sei. Mi rispose affermativamente, e io mi sentivo al settimo cielo dalla contentezza. Ero infatuato di lei malgrado la sua aria di mistero – pensai allora – per via di essa, concludo ora. No, non è vero: era la donna in persona che io amavo. Il suo mistero mi torturava, mi faceva impazzire. Perché mai il destino me lo ha fatto conoscere?»

«L'hai dunque scoperto?» esclamai.

«Temo di sì» rispose. «Puoi giudicarlo da solo.»

«Giunse il lunedì e io andai a colazione con mio zio e intorno alle quattro mi ritrovai in Marylebone Road. Mio zio, come sai, abita in Regent's Park. Volevo andare a Piccadilly e imboccai dunque una scorciatoia percorrendo tutta una serie di stradine

denly I saw in front of me Lady Alroy, deeply veiled and walking very fast. On coming to the last house in the street, she went up the steps, took out a latch-key, and let herself in. "Here is the mystery," I said to myself; and I hurried on and examined the house. It seemed a sort of place for letting lodgings. On the doorstep lay her handkerchief, which she had dropped. I picked it up and put it in my pocket. Then I began to consider what I should do. I came to the conclusion that I had no right to spy on her, and I drove down to the club. At six I called to see her. She was lying on a sofa, in a tea-gown of silver tissue looped up by some strange moonstones that she always wore. She was looking quite lovely. "I am so glad to see you," she said; "I have not been out all day." I stared at her in amazement, and pulling the handkerchief out of my pocket, handed it to her. "You dropped this in Cumnor Street this afternoon, Lady Alroy," I said very calmly. She looked at me in terror, but made no attempt to take the handkerchief. "What were you doing there?" I asked. "What right have you to question me?" she answered. "The right of a man who loves you," I replied; "I came here to ask you to be my wife." She hid her face in her hands, and burst into floods of tears. "You must tell me," I continued. She stood up, and, looking me straight in the face, said, "Lord Murchison, there is nothing to tell you." – "You went to meet some one," I cried; "this is your mystery." She grew dreadfully white, and said, "I went to meet no one." – "Can't you tell the truth?" I exclaimed. "I have told it," she replied. I was mad, frantic; I don't know what I said, but I said terrible things to her. Finally I rushed out of the house. She wrote me a letter the next day; I sent it back

secondarie. Improvvisamente, di fronte a me, riconobbi Lady Alroy, il volto coperto da un velo fitto, che camminava con passo deciso. Raggiunta l'ultima casa in fondo alla strada, salì i gradini, tirò fuori una chiave ed entrò. "Ecco qual è il mistero" dissi a me stesso, e mi affrettai per osservare la casa. Sembrava una delle tante abitazioni che si danno in affitto. Sulla soglia trovai il suo fazzoletto, che le era caduto. Lo raccolsi e lo infilai in tasca. Poi pensai a come mi dovevo comportare. Giunsi alla conclusione che non avevo alcun diritto di spiarla e presi dunque una carrozza che mi portò al club. Andai a trovarla alle sei. Era distesa sopra un divano, e portava un abito orientale in tessuto d'argento agganciato con quelle strane pietre di luna che portava sempre. Era davvero bella. "Sono così contenta di vederla" disse. "Oggi non sono uscita di casa." La guardai stupito e tirai fuori il suo fazzoletto, porgendoglielo. "L'ha lasciato cadere questo pomeriggio in Cumnor Street, Lady Alroy" dissi con molta calma. Mi guardò terrorizzata, ma non cercò di riprendersi il fazzoletto. "Che cosa ci faceva lì?" le chiesi. "Quale diritto ha lei d'interrogarmi?" rispose. "Il diritto di un uomo che l'ama" fu la mia risposta. "Sono venuto qui per chiederle di diventare mia moglie." Si nascose il volto dietro le mani e scoppiò in un torrente di lacrime. "Deve dirmi la verità" insistetti. Ella si alzò e, fissandomi dritto negli occhi, disse: "Lord Murchison, non ho niente da dirle". "Lei si è recata in Cumnor Street per incontrare qualcuno" gridai "ed è questo il suo mistero!" Si fece mortalmente pallida e replicò: "Non ho incontrato nessuno". "Perché non vuol dirmi la verità?" esclamai. "Perché gliel'ho già detta" rispose. Ero come impazzito, furibondo; non ricordo cosa le dissi, ma le mie parole dovettero essere terribilmente crudeli. Alla fine fuggii da quella casa. Mi scrisse una lettera il giorno seguente; gliela rispedii senza aprir-

unopened, and started for Norway with Alan Colville. After a month I came back, and the first thing I saw in the *Morning Post* was the death of Lady Alroy. She had caught a chill at the Opera, and had died in five days of congestion of the lungs. I shut myself up and saw no one. I had loved her so much, I had loved her so madly. Good God! how I had loved that woman!'

'You went to the street, to the house in it?' I said.

'Yes,' he answered.

'One day I went to Cumnor Street. I could not help it; I was tortured with doubt. I knocked at the door, and a respectable-looking woman opened it to me. I asked her if she had any rooms to let. "Well, sir," she replied, "the drawing-rooms are supposed to be let; but I have not seen the lady for three months, and as rent is owing on them, you can have them." – "Is this the lady?" I said, showing the photograph. "That's her, sure enough," she exclaimed; "and when is she coming back, sir?" – "The lady is dead," I replied. "Oh, sir, I hope not!" said the woman; "she was my best lodger. She paid me three guineas a week merely to sit in my drawing-rooms now and then." – "She met some one here?" I said; but the woman assured me that it was not so, that she always came alone, and saw no one. "What on earth did she do here?" I cried. "She simply sat in the drawing-room, sir, reading books, and sometimes had tea," the woman answered. I did not know what to say, so I gave her a sovereign and went away. Now, what do you think it all meant? You don't believe the woman was telling the truth?'

'I do.'

'Then why did Lady Alroy go there?'

'My dear Gerald,' I answered, 'Lady Alroy was

la e quel giorno stesso lasciai l'Inghilterra per accompagnare il mio amico Alan Colville in Norvegia. Tornai un mese dopo, e la prima cosa che lessi sul "Morning Post" fu il necrologio di Lady Alroy. Aveva preso freddo all'Opera ed era morta in cinque giorni per una congestione ai polmoni. Mi rinchiusi in casa e non volli vedere nessuno. L'avevo amata così intensamente, così follemente! Dio mio! Quanto l'avevo amata!»

«Sei mai tornato in quella stradina, in quella casa?» gli chiesi.

«Sì» rispose. «Un giorno mi recai in Cumnor Street. Fu più forte di me perché ero lacerato dal dubbio. Bussai alla porta e venne ad aprirmi una donna dall'aspetto assai rispettabile. Le chiesi se per caso avesse delle stanze libere. "Ebbene signore" rispose "a dire il vero sarebbero affittate ma siccome non vedo la signora da più di tre mesi, e da allora neanche la pigione, penso di poterle dare a lei." "È questa la signora?" chiesi, mostrandole la foto. "Sì, è proprio lei" esclamò "e quando tornerà qui, signore?" "La signora è morta" risposi. "Oh, no, signore, mi dica che non è vero!" disse la donna. "Era la mia migliore inquilina. Mi pagava tre ghinee la settimana per sedersi ogni tanto nel salottino." "Incontrava qualcuno?" chiesi. La donna mi assicurò che arrivava sempre sola e che non vedeva mai nessuno. "Ma che diavolo ci faceva qui allora?" gridai. "Si sedeva nel salottino, tutto qui, signore, leggeva e talvolta prendeva il tè" rispose la donna. Non seppi cosa replicare, sicché le diedi una sovrana e me ne andai. Dimmi, dunque, che ne pensi di tutto questo? Credi che la donna mi abbia mentito?»

«Nient'affatto.»

«Ma allora cosa spingeva Lady Alroy ad andare in Cumnor Street?»

«Mio caro Gerald» risposi «Lady Alroy era sempli-

simply a woman with a mania for mystery. She took these rooms for the pleasure of going there with her veil down, and imagining she was a heroine. She had a passion for secrecy, but she herself was merely a Sphinx without a secret.

'Do you really think so?'

'I am sure of it,' I replied.

He took out the morocco case, opened it, and looked at the photograph. 'I wonder?' he said at last.

cemente una donna con un pallino per il mistero. Aveva affittato quelle stanze per il piacere di recarvisi con il viso velato, per potersi così illudere di essere un'eroina da romanzo. Aveva una passione per i segreti, ma lei stessa non era altro che una sfinge senza enigmi.»

«Lo credi davvero?»

«Ne sono convinto» replicai.

Gerald tirò fuori di tasca l'astuccio di marocchino, lo aprì e contemplò la fotografia.

«Chissà?» borbottò alla fine.

The Canterville Ghost
A Hylo-Idealistic Romance

I

When Mr Hiram B. Otis, the American Minister, bought Canterville Chase, every one told him he was doing a very foolish thing, as there was no doubt at all that the place was haunted. Indeed, Lord Canterville himself, who was a man of the most punctilious honour, had felt it his duty to mention the fact to Mr Otis when they came to discuss terms.

'We have not cared to live in the place ourselves,' said Lord Canterville, 'since my grand-aunt, the Dowager Duchess of Bolton, was frightened into a fit, from which she never really recovered, by two skeleton hands being placed on her shoulders as she was dressing for dinner, and I feel bound to tell you, Mr Otis, that the ghost has been seen by several living members of my family, as well as by the rector of the parish, the Rev. Augustus Dampier, who is a Fellow of King's College, Cambridge. After the unfortunate accident to the Duchess, none of our younger servants would stay with us, and Lady Canterville often got very little sleep at night, in consequence of the mysterious noises that came from the corridor and the library.'

'My Lord,' answered the Minister, 'I will take the

Il fantasma di Canterville
Romance *material-idealista*

I

Quando il signor Hiram B. Otis, ministro plenipotenziario degli Stati Uniti, acquistò Canterville Chase, tutti gli dissero che stava commettendo una gran sciocchezza, poiché il luogo era senza dubbio infestato dagli spiriti. In verità, lo stesso Lord Canterville, che in materia d'onore era un uomo assai scrupoloso, si era sentito in dovere di accennare al fatto, quando lui e il signor Otis si erano incontrati per discutere le condizioni di acquisto.

«Neppure noi vi abbiamo più abitato volentieri» disse Lord Canterville «da quando la duchessa vedova del duca di Bolton, mia prozia, ebbe un attacco di nervi dal quale non riuscì più a rimettersi completamente, per colpa di due mani scheletriche che le si posarono sulle spalle mentre si stava vestendo per il pranzo; mi sento in dovere di precisarle, signor Otis, che lo spettro è stato visto da diversi membri tuttora viventi del nostro casato, come pure dal rettore della parrocchia, il reverendo Augustus Dampier che è docente del King's College di Cambridge. Dopo lo sfortunato incidente occorso alla duchessa, nessuno dei giovani domestici volle più rimanere presso di noi, e spesso Lady Canterville non riusciva a dormire molto, la notte, a causa dei misteriosi rumori che venivano dal corridoio e dalla biblioteca.»

«Signore» rispose il ministro plenipotenziario «so-

furniture and the ghost at a valuation. I come from a modern country, where we have everything that money can buy; and with all our spry young fellows painting the Old World red, and carrying off your best actors and prima-donnas, I reckon that if there were such a thing as a ghost in Europe, we'd have it at home in a very short time in one of our public museums, or on the road as a show.'

'I fear that the ghost exists,' said Lord Canterville, smiling, 'though it may have resisted the overtures of your enterprising impresarios. It has been well known for three centuries, since 1584 in fact, and always makes its appearance before the death of any member of our family.'

'Well, so does the family doctor for that matter, Lord Canterville. But there is no such thing, sir, as a ghost, and I guess the laws of Nature are not going to be suspended for the British aristocracy.'

'You are certainly very natural in America,' answered Lord Canterville, who did not quite understand Mr Otis's last observation, 'and if you don't mind a ghost in the house, it is all right. Only you must remember I warned you.'

A few weeks after this, the purchase was concluded, and at the close of the season the Minister and his family went down to Canterville Chase. Mrs Otis, who, as Miss Lucretia R. Tappen, of West 53rd Street, had been a celebrated New York belle, was now a very handsome, middle-aged woman, with fine eyes, and a superb profile. Many American ladies on leaving their native land adopt an appearance of chronic illhealth, under the impression that it is a form of European refinement, but Mrs Otis had never fallen

no disposto a comprare in blocco mobili e fantasma. Io provengo da una nazione moderna dove col danaro si può ottenere tutto, e con tutti i nostri vivaci giovani che mettono a soqquadro il vecchio mondo, accaparrandosi i migliori attori e le primedonne, sono sicuro che se in Europa esistesse qualcosa di simile a un fantasma, l'avremmo presto trasferito in patria per collocarlo in qualche museo o metterlo in mostra in un baraccone da fiera.»

«Temo che il fantasma esista davvero» replicò sorridendo Lord Canterville «per quanto non abbia ancora ceduto alle offerte dei vostri intraprendenti impresari. È conosciuto da tre secoli, dal 1584, per essere esatti, e non manca mai di mostrarsi prima della morte di un membro della famiglia.»

«In quanto a questo, Lord Canterville, fa così anche il medico di famiglia. Sta di fatto che i fantasmi non esistono e non credo che le leggi della natura possano fare eccezioni in favore dell'aristocrazia britannica.»

«Certo siete molto vicini alla natura in America» rispose Lord Canterville, che non era riuscito a comprendere il senso dell'ultima osservazione del signor Otis «e se non le rincresce di avere in casa un fantasma, meglio così; solo, si ricordi che io l'ho avvisata.»

Qualche settimana dopo la vendita della proprietà venne conclusa, e sul finire della stagione mondana londinese il ministro plenipotenziario con la famiglia si stabilì a Canterville Chase. La signora Otis, che da ragazza, col nome di signorina Lucretia R. Tappen, della Cinquantatreesima Strada Ovest, era stata una famosa bellezza di New York, era ora un'avvenente signora di mezza età, dagli occhi magnifici e dal profilo superbo. Molte signore americane, nel lasciare il loro paese, adottano arie da ammalata cronica, convinte che questa sia una forma di raffinatezza europea; ma la signora Otis non era mai incorsa in un simile erro-

into this error. She had a magnificent constitution, and a really wonderful amount of animal spirits. Indeed, in many respects, she was quite English, and was an excellent example of the fact that we have really everything in common with America nowadays, except, of course, language. Her eldest son, christened Washington by his parents in a moment of patriotism, which he never ceased to regret, was a fair-haired, rather good-looking young man, who had qualified himself for American diplomacy by leading the German at the Newport Casino for three successive seasons, and even in London was well known as an excellent dancer. Gardenias and the peerage were his only weaknesses. Otherwise he was extremely sensible. Miss Virginia E. Otis was a little girl of fifteen, lithe and lovely as a fawn, and with a fine freedom in her large blue eyes. She was a wonderful amazon, and had once raced old Lord Bilton on her pony twice round the park, winning by a length and a half, just in front of the Achilles statue, to the huge delight of the young Duke of Cheshire, who proposed for her on the spot, and was sent back to Eton that very night by his guardians, in floods of tears. After Virginia came the twins, who were usually called 'The Stars and Stripes,' as they were always getting swished. They were delightful boys, and with the exception of the worthy Minister the only true republicans of the family.

As Canterville Chase is seven miles from Ascot, the

re; aveva un'ottima costituzione fisica e possedeva una straordinaria vitalità. Sotto molti punti di vista era veramente inglese, e costituiva un ottimo esempio del fatto che oggi noi abbiamo in verità tutto in comune con l'America, tranne, naturalmente, la lingua. Il primogenito, battezzato Washington dai suoi genitori in uno slancio di patriottismo ch'egli non cessò mai di deplorare, era un bel giovane biondo, che si era fatto strada nella diplomazia americana dirigendo il *cotillon** al casinò di Newport per tre stagioni consecutive, e che persino a Londra passava per un eccellente ballerino. Le sue uniche debolezze erano le gardenie e i titoli nobiliari; per il resto era un ragazzo di grande buonsenso. Virginia E. Otis era una fanciulla di quindici anni, snella e delicata come una cerbiatta, con una bella espressione di indipendenza nei grandi occhi azzurri. Era una splendida amazzone, e un giorno aveva fatto due volte il giro del parco in groppa al suo pony, in gara col vecchio Lord Bilton che aveva superato di una lunghezza e mezzo proprio davanti alla statua di Achille,** suscitando una gioia immensa nel giovane duca di Cheshire, che immediatamente le aveva proposto di sposarlo e che la sera stessa era stato rimandato a Eton dai suoi tutori, in un mare di lacrime. Dopo Virginia venivano i gemelli, di solito soprannominati "Stelle e Strisce" perché assaggiavano frequentemente il tocco della frusta. Erano ragazzi assai simpatici e, a eccezione del degno ministro plenipotenziario, gli unici della famiglia a essere autentici repubblicani.

Poiché Canterville Chase dista sette miglia da

* Si tratta più propriamente di una danza («*German*») simile al cotillon.

** Il parco è dunque Hyde Park, dove venne eretta, in onore del duca di Wellington e dei «suoi valorosi compagni d'arme», una statua di Achille vittorioso.

nearest railway station, Mr Otis had telegraphed for a waggonette to meet them, and they started on their drive in high spirits. It was a lovely July evening, and the air was delicate with the scent of the pinewoods. Now and then they heard a wood pigeon brooding over its own sweet voice, or saw, deep in the rustling fern, the burnished breast of the pheasant. Little squirrels peered at them from the beech-trees as they went by, and the rabbits scudded away through the brushwood and over the mossy knolls, with their white tails in the air. As they entered the avenue of Canterville Chase, however, the sky became suddenly overcast with clouds, a curious stillness seemed to hold the atmosphere, a great flight of rooks passed silently over their heads, and, before they reached the house, some big drops of rain had fallen.

Standing on the steps to receive them was an old woman, neatly dressed in black silk, with a white cap and apron. This was Mrs Umney; the housekeeper, whom Mrs Otis, at Lady Canterville's earnest request, had consented to keep on in her former position. She made them each a low curtsey as they alighted, and said in a quaint, old-fashioned manner, 'I bid you welcome to Canterville Chase.' Following her, they passed through the fine Tudor hall into the library, a long, low room, panelled in black oak, at the end of which was a large stainedglass window. Here they found tea laid out for them, and, after taking off their wraps, they sat down and began to look round, while Mrs Umney waited on them.

Suddenly Mrs Otis caught sight of a dull red stain on the floor just by the fireplace and, quite unconscious of what it really signified, said to Mrs Umney, 'I am afraid something has been spilt there.'

Ascot, la stazione ferroviaria più vicina, il signor Otis aveva telegrafato ordinando che venissero a prenderli con una giardiniera, sulla quale salirono tutti di ottimo umore. Era una bella serata di luglio e l'aria era fragrante del profumo delle pinete. Di quando in quando si sentiva il colombo selvatico compiacersi del suo dolce tubare, e si intravedeva, mezzo nascosto tra le felci fruscianti, il petto brunito del fagiano. Piccoli scoiattoli li spiavano incuriositi dall'alto dei faggi, e i conigli saltellavano per il sottobosco e su per i poggi muscosi, drizzando la candida coda in aria. Ma non appena gli Otis entrarono nel viale alberato di Canterville Chase, il cielo si coprì all'improvviso di nuvole, una strana immobilità parve imprigionare l'atmosfera, uno stormo di corvi passò silenzioso sulle loro teste e, prima che raggiungessero l'abitazione, incominciarono a cadere grosse gocce di pioggia.

A riceverli sugli scalini del castello trovarono un'anziana donna con un impeccabile abito di seta nera, con la cuffia e il grembiule bianchi. Era la signora Umney, la governante, che la signora Otis, in seguito alle vive insistenze di Lady Canterville, aveva acconsentito a mantenere al suo servizio. Mentre scendevano dalla carrozza, fece a tutti un profondo inchino e disse con tono cortese e un po' all'antica: «Siate i benvenuti a Canterville Chase». Seguendola, attraversarono il bel vestibolo in stile Tudor e giunsero nella biblioteca che era una sala bassa e lunga dalle pareti rivestite di quercia nera, all'estremità della quale si trovava una grande vetrata istoriata. Il tè era già pronto e, dopo essersi tolti i mantelli da viaggio, si sedettero e cominciarono a guardarsi attorno, mentre la signora Umney li serviva.

Improvvisamente, la signora Otis notò una macchia di color rosso opaco sul pavimento, precisamente accanto al caminetto e, senza rendersi ben conto di che cosa fosse, disse alla signora Umney: «Mi pare che laggiù sia stato versato qualcosa».

'Yes, madam,' replied the old housekeeper in a low voice, 'blood has been spilt on that spot.'

'How horrid,' cried Mrs Otis; 'I don't at all care for blood-stains in a sitting-room. It must be removed at once.'

The old woman smiled, and answered in the same low, mysterious voice, 'It is the blood of Lady Eleanore de Canterville, who was murdered on that very spot by her own husband, Sir Simon de Canterville, in 1575. Sir Simon survived her nine years, and disappeared suddenly under very mysterious circumstances. His body has never been discovered, but his guilty spirit still haunts the Chase. The blood-stain has been much admired by tourists and others, and cannot be removed.'

'That is all nonsense,' cried Washington Otis; 'Pinkerton's Champion Stain Remover and Paragon Detergent will clean it up in no time,' and before the terrified housekeeper could interfere he had fallen upon his knees, and was rapidly scouring the floor with a small stick of what looked like a black cosmetic. In a few moments no trace of the bloodstain could be seen.

'I knew Pinkerton would do it,' he exclaimed triumphantly, as he looked round at his admiring family; but no sooner had he said these words than a terrible flash of lightning lit up the sombre room, a fearful peal of thunder made them all start to their feet, and Mrs Umney fainted.

'What a monstrous climate!' said the American Minister calmly, as he lit a long cheroot. 'I guess the old country is so over-populated that they have not enough decent weather for everybody. I have always been of opinion that emigration is the only thing for England.'

«Sì, signora» le rispose con voce bassa la vecchia governante «vi è stato versato del sangue.»

«Che orrore!» gridò la signora Otis. «Non mi piacciono le macchie di sangue in salotto: bisogna farlo sparire al più presto.»

La vecchia sorrise e rispose con la stessa voce bassa e misteriosa: «È il sangue di Lady Eleanore de Canterville, che fu uccisa in quel punto preciso dal marito, Sir Simon de Canterville, nel 1575. Sir Simon le sopravvisse nove anni, poi a un tratto scomparve in circostanze assai misteriose. Il suo corpo non fu mai ritrovato, ma il suo spirito peccatore continua a infestare il castello. La macchia di sangue è molto ammirata dai turisti e dai visitatori ed è impossibile farla sparire».

«Sciocchezze!» esclamò Washington Otis. «L'Impareggiabile Super-smacchiatore e Detergente Pinkerton la eliminerà in un baleno» e, prima che la governante terrorizzata avesse il tempo di intervenire, il giovanotto s'era già inginocchiato e strofinava energicamente il pavimento con un bastoncino che somigliava a un cosmetico nero. Pochi istanti dopo non vi era più traccia della macchia di sangue.

«Sapevo bene che il Pinkerton ce l'avrebbe fatta» esultò il giovane, mentre volgeva lo sguardo sulla famiglia che lo guardava piena d'ammirazione; ma non ebbe il tempo di terminare la frase che un tremendo lampo illuminò la stanza scura, il pauroso fragore del tuono li fece balzare tutti in piedi, e la signora Umney cadde a terra svenuta.

«Che clima spaventoso» disse con calma il ministro plenipotenziario accendendosi un lungo sigaro. «Suppongo che questo paese sia così sovrappopolato da non poter consentire a tutti un'equa distribuzione di bel tempo. Ho sempre pensato che la sola soluzione per l'Inghilterra sia l'emigrazione.»

'My dear Hiram,' cried Mrs Otis, 'what can we do with a woman who faints?'

'Charge it to her like breakages,' answered the Minister; 'she won't faint after that;' and in a few moments Mrs Umney certainly came to. There was no doubt, however, that she was extremely upset, and she sternly warned Mr Otis to beware of some trouble coming to the house.

'I have seen things with my own eyes, sir,' she said, 'that would make any Christian's hair stand on end, and many and many a night I have not closed my eyes in sleep for the awful things that are done here.' Mr Otis, however, and his wife warmly assured the honest soul that they were not afraid of ghosts, and, after invoking the blessings of Providence on her new master and mistress, and making arrangements for an increase of salary, the old housekeeper tottered off to her own room.

II

The storm raged fiercely all that night, but nothing of particular note occurred. The next morning, however, when they came down to breakfast, they found the terrible stain of blood once again on the floor. 'I don't think it can be the fault of the Paragon Detergent,' said Washington, 'for I have tried it with everything. It must be the ghost.' He accordingly rubbed out the stain a second time, but the second morning it appeared again. The third morning also it was there, though the library had been locked up at night by Mr Otis himself and the key carried upstairs. The whole family were now quite interested; Mr Otis began to suspect that he had been too dogmatic in his denial of the existence of ghosts, Mrs

«Mio caro Hiram» esclamò la signora Otis «che ne facciamo di una donna che sviene?»

«La multiamo, come si fa per la rottura delle stoviglie» decretò il ministro plenipotenziario. «Dopo di che vedrai che non sverrà più» e infatti, dopo pochi istanti, la signora Umney rinvenne. Era indubbiamente ancora molto sconvolta, e in tono austero avvertì il signor Otis di guardarsi da una sventura che sarebbe accaduta in quella casa.

«Ho visto, signore» ella disse «con questi miei occhi cose tali che farebbero rizzare i capelli a qualsiasi cristiano, e molte notti ho passato insonni per le cose terribili che succedono qui.» Ma sia il signor Otis sia sua moglie rassicurarono la brava donna dicendole che non temevano affatto i fantasmi; e dopo aver invocato le benedizioni della Provvidenza sui nuovi padroni ed essersi accordata per un aumento di salario, la vecchia governante si ritirò nella propria stanza con passo barcollante.

II

Il temporale infuriò per tutta la notte, ma non successe nulla degno di nota. Il mattino dopo, tuttavia, quando scesero per la prima colazione, ritrovarono la spaventosa macchia di sangue. «Non credo sia colpa del Super-smacchiatore» osservò Washington «poiché l'ho sperimentato con tutto. Dev'essere stato il fantasma.» Detto questo, strofinò via la macchia una seconda volta, ma la mattina successiva era comparsa di nuovo. Era lì anche il mattino del terzo giorno, sebbene la biblioteca fosse stata chiusa la notte prima dal signor Otis in persona, e la chiave portata al piano di sopra. Tutta la famiglia era ormai molto interessata; al signor Otis venne il dubbio d'essere stato un po' troppo dogmatico nel negare l'esi-

Otis expressed her intention of joining the Psychical Society, and Washington prepared a long letter to Messrs. Myers and Podmore on the subject of the Permanence of Sanguineous Stains when connected with Crime. That night all doubts about the objective existence of phantasmata were removed for ever.

The day had been warm and sunny; and, in the cool of the evening, the whole family went out to drive. They did not return home till nine o'clock, when they had a light supper. The conversation in no way turned upon ghosts, so there were not even those primary conditions of receptive expectation which so often precede the presentation of psychical phenomena. The subjects discussed, as I have since learned from Mr Otis, were merely such as form the ordinary conversation of cultured Americans of the better class, such as the immense superiority of Miss Fanny Davenport over Sara Bernhardt as an actress; the difficulty of obtaining green corn, buckwheat cakes, and hominy, even in the best English houses; the importance of Boston in the development of the world-soul; the advantages of the baggage check system in railway travelling; and the sweetness of the New York accent as compared to the London drawl. No mention at all was made of the supernatural, nor was Sir Simon de Canterville alluded to in any way. At eleven o'clock the family retired, and by half-past

stenza dei fantasmi, la signora Otis espresse il desiderio di farsi socia della Associazione di Ricerche Psichiche e Washington scrisse una lunga lettera ai signori Myers e Podmore, a proposito della permanenza delle macchie di sangue quando collegate a qualche delitto. La sera stessa ogni dubbio circa l'esistenza effettiva degli spettri scomparve.

La giornata era stata calda e soleggiata, e nell'aria fresca della sera la famiglia al completo uscì in carrozza. Rientrarono soltanto verso le nove e consumarono una cena leggera. A tavola nessuno parlò di fantasmi, così che non si ebbero neppure quelle condizioni preliminari di autosuggestione che tanto spesso precedono la manifestazione di fenomeni psichici. Come in seguito mi narrò il signor Otis, gli argomenti toccati erano stati quelli che di solito ricorrono nelle conversazioni degli americani colti delle classi alte, vale a dire l'enorme superiorità artistica di Fanny Davenport* su Sarah Bernhardt; la difficoltà di trovare germe di grano, focacce di grano saraceno e farina di granturco persino nelle migliori case d'Inghilterra; l'importanza di Boston per lo sviluppo di una coscienza universale; i vantaggi del bagaglio appresso nei viaggi in ferrovia, e la dolcezza dell'accento di New York in confronto alla pronuncia strascicata in uso a Londra. Non si accennò minimamente al mondo soprannaturale né si alluse a Sir Simon de Canterville. Alle undici la famiglia si ritirò e verso le undici e mezzo ogni luce del castello era

* Fanny Davenport, attrice che godette di notevole popolarità in America nell'ultimo ventennio del XIX secolo, non era tuttavia considerata né superiore (e meno ancora «enormemente superiore»), né paragonabile a quella che era universalmente giudicata l'ineguagliabile Sarah Bernhardt. Tutto il brano, come, poco più avanti, la frase sull'importanza di Boston, è fortemente ironico nei confronti della cultura americana.

all the lights were out. Some time after, Mr Otis was awakened by a curious noise in the corridor, outside his room. It sounded like the clank of metal, and seemed to be coming nearer every moment. He got up at once, struck a match, and looked at the time. It was exactly one o'clock. He was quite calm, and felt his pulse, which was not at all feverish. The strange noise still continued, and with it he heard distinctly the sound of footsteps. He put on his slippers, took a small oblong phial out of his dressing-case, and opened the door. Right in front of him he saw, in the wan moonlight, an old man of terrible aspect. His eyes were as red burning coals; long grey hair fell over his shoulders in matted coils; his garments, which were of antique cut, were soiled and ragged, and from his wrists and ankles hung heavy manacles and rusty gyves.

'My dear sir,' said Mr Otis, 'I really must insist on your oiling those chains, and have brought you for that purpose a small bottle of the Tammany Rising Sun Lubricator. It is said to be completely efficacious upon one application, and there are several testimonials to that effect on the wrapper from some of our most eminent native divines. I shall leave it here for you by the bedroom candles, and will be happy to supply you with more should you require it.' With these words the United States Minister laid the bottle down on a marble table, and, closing his door, retired to rest.

For a moment the Canterville ghost stood quite motionless in natural indignation; then, dashing the

spenta. Dopo un poco il signor Otis fu destato da uno strano rumore proveniente dal corridoio, fuori dalla sua camera. Somigliava al rumore secco del metallo e sembrava che si facesse sempre più vicino. Il ministro plenipotenziario si alzò, accese un fiammifero e guardò l'orologio. Era l'una precisa. Si sentiva abbastanza calmo e si tastò il polso, che non era affatto accelerato. Lo strano rumore continuava, anzi si udì distintamente un suono di passi. S'infilò le pantofole, prese una minuscola fiala oblunga dall'astuccio da toeletta e aprì la porta. Proprio davanti a sé vide, nella pallida luce lunare, un vecchio dall'aspetto spaventoso. Gli occhi erano rossi come carboni ardenti, i lunghi capelli grigi gli ricadevano sulle spalle in ciocche incolte, l'abito di foggia antiquata era sporco e lacero e dai polsi e dalle caviglie gli pendevano pesanti manette e catene arrugginite.

«Egregio signore» disse il signor Otis «devo proprio pregarla di dare un po' d'olio a quelle catene. E per l'appunto le ho portato un flaconcino di lubrificante Sole d'Oriente Tammany.* Si dice che funzioni sin dalla prima applicazione; ne troverà la conferma sull'involucro nei numerosi attestati di alcuni tra i nostri maggiori dottori in teologia. Glielo lascio sul tavolino, accanto alle candele delle camere da letto, e sarò felice di fornirgliene ancora, nel caso le occorresse di nuovo.» Con queste parole, posò la sua bottiglietta su un ripiano di marmo e, chiudendo la porta, si ritirò in camera.

Per un attimo il fantasma di Canterville rimase letteralmente ammutolito per una comprensibile indi-

* A New York la sede centrale del partito democratico era nella Tammany Hall, e in Inghilterra il termine Tammany era diventato quasi sinonimo di corruzione politica. L'ironia di Wilde, nascondendosi sotto l'apparente innocenza del nome inventato di un prodotto per lubrificare, si fa sempre più affilata.

bottle violently upon the polished floor, he fled down the corridor, uttering hollow groans, and emitting a ghastly green light. Just, however, as he reached the top of the great oak staircase, a door was flung open, two little white-robed figures appeared, and a large pillow whizzed past his head! There was evidently no time to be lost, so, hastily adopting the Fourth Dimension of Space as a means of escape, he vanished through the wainscoting, and the house became quite quiet.

On reaching a small secret chamber in the left wing, he leaned up against a moonbeam to recover his breath, and began to try and realise his position. Never, in a brilliant and uninterrupted career of three hundred years, had he been so grossly insulted. He thought of the Dowager Duchess, whom he had frightened into a fit as she stood before the glass in her lace and diamonds; of the four housemaids, who had gone off into hysterics when he merely grinned at them through the curtains of one of the spare bedrooms; of the rector of the parish, whose candle he had blown out as he was coming late one night from the library, and who had been under the care of Sir William Gull ever since, a perfect martyr to nervous disorders; and of old Madame de Tremouillac, who, having wakened up one morning early and seen a skeleton seated in an armchair by the fire reading her diary, had been confined to her bed for six weeks with an attack of brain fever, and, on her recovery, had become reconciled to the Church, and broken off her connection with that notorious sceptic Monsieur de Voltaire. He remembered the terrible night when the wicked Lord Canterville was found chok-

gnazione, poi, dopo aver scagliato con violenza il flacone sul pavimento lucido, fuggì giù per il corridoio emettendo gemiti cavernosi e lanciando intorno una livida luce verde. Ma, proprio quando giungeva in cima all'ampia scalinata di quercia, una porta si aprì improvvisamente, apparvero due minuscole figure vestite di bianco e un gran cuscino gli sibilò a un pelo dalla testa! Evidentemente non v'era tempo da perdere, e adottando in gran fretta la "quarta dimensione dello spazio" quale mezzo di scampo, svanì attraverso il rivestimento di legno della parete; dopo di che la casa ripiombò nel più assoluto silenzio.

Raggiunta una piccola stanza segreta nell'ala sinistra del castello, il fantasma si appoggiò contro un raggio di luna per riprender fiato e cominciò a riflettere su quello che gli era accaduto. Mai, nel corso della sua brillante e ininterrotta carriera tricentenaria, era stato così volgarmente insultato. Ripensò alla vecchia duchessa che aveva spaventato sino al parossismo, mentre se ne stava davanti allo specchio ad ammirare i suoi pizzi e brillanti; pensò alle quattro cameriere a cui aveva provocato un attacco isterico soltanto perché aveva sghignazzato sbucando dalle tende di una delle camere degli ospiti; pensò al rettore della parrocchia al quale una notte aveva spento la candela mentre usciva dalla biblioteca e che da quel momento era passato alle cure di Sir William Gull, essendo nel frattempo diventato un nevrastenico irrecuperabile; pensò alla vecchia Madame de Tremouillac che, svegliandosi presto un mattino e avendo visto uno scheletro seduto in poltrona vicino al caminetto, intento a leggere il suo diario, era stata poi relegata a letto per le sei settimane successive da un attacco di febbre cerebrale e, appena guarita, s'era riconciliata con la Chiesa e aveva rotto ogni contatto con quel celebre scettico, Monsieur de Voltaire. Ripensò alla tremenda notte in cui il malvagio Lord Canterville fu

ing in his dressing-room, with the knave of diamonds halfway down his throat, and confessed, just before he died, that he had cheated Charles James Fox out of £50,000 at Crockford's by means of that very card, and swore that the ghost had made him swallow it. All his great achievements came back to him again, from the butler who had shot himself in the pantry because he had seen a green hand tapping at the window pane, to the beautiful Lady Stutfield, who was always obliged to wear a black velvet band round her throat to hide the mark of five fingers burnt upon her white skin, and who drowned herself at last in the carp-pond at the end of the King's Walk. With the enthusiastic egotism of the true artist he went over his most celebrated performances, and smiled bitterly to himself as he recalled to mind his last appearance as 'Red Reuben, or the Strangled Babe,' his *début* as 'Gaunt Gibeon, the Blood-sucker of Bexley Moor,' and the *furore* he had excited one lovely June evening by merely playing ninepins with his own bones upon the lawn-tennis ground. And after all this, some wretched modern Americans were to come and offer him the Rising Sun Lubricator, and throw pillows at his head! It was quite unbearable. Besides, no ghost in history had ever been treated in this manner. Accordingly, he determined to have vengeance, and remained till daylight in an attitude of deep thought.

trovato in fin di vita nel suo spogliatoio, con il fante di quadri infilato in gola, e prima di spirare aveva confessato di aver barato al gioco e vinto a Charles James Fox* cinquantamila sterline al Crockford Club proprio grazie a quella carta, giurando che era stato lo spettro a fargliela ingoiare. Gli tornarono alla mente tutte le sue imprese più memorabili: dal maggiordomo che si era sparato un colpo nella dispensa per aver visto una mano verde bussare al vetro della finestra, alla bella Lady Stutfield, che era stata costretta a portare un nastro di velluto nero annodato al collo per nascondere il segno di cinque dita di fuoco impresso sulla pelle candida e che si era poi annegata nello stagno delle carpe in fondo al Viale del Re. Con l'egotismo entusiastico del vero artista, rivisitò col pensiero le sue più celebri apparizioni e amaramente sorrise tra sé, mentre ricordava la sua ultima comparsa come "Ruben il Rosso, ovvero l'Infante Strangolato"; il suo *début* come "Gibeon lo Smunto, il Vampiro della Palude di Bexley", e il furore che, nel corso di un'incantevole serata di giugno, aveva suscitato giocando semplicemente a birilli con le proprie ossa sul campo da tennis. E dopo tutto questo, dovevano venire dei miserabili americani moderni a offrirgli il lubrificante Sole d'Oriente e a lanciargli addosso cuscini! Era letteralmente insopportabile. Inoltre, mai, nel corso della storia, un fantasma era stato trattato così. Decise pertanto di vendicarsi, e rimase sino all'alba in un atteggiamento di profonda riflessione.

* I ricordi del fantasma non hanno naturalmente limiti di tempo, e qui sembrano indugiare tra il XVIII e il XIX secolo con l'accenno a Voltaire (1694-1778) e a Charles James Fox (1749-1806), politico inglese Whig.

III

The next morning, when the Otis family met at breakfast, they discussed the ghost at some length. The United States Minister was naturally a little annoyed to find that his present had not been accepted. 'I have no wish,' he said, 'to do the ghost any personal injury, and I must say that, considering the length of time he has been in the house, I don't think it is at all polite to throw pillows at him' – a very just remark, at which, I am sorry to say, the twins burst into shouts of laughter. 'Upon the other hand,' he continued, 'if he really declines to use the Rising Sun Lubricator, we shall have to take his chains from him. It would be quite impossible to sleep, with such a noise going on outside the bedrooms.'

For the rest of the week, however, they were undisturbed, the only thing that excited any attention being the continual renewal of the blood-stain on the library floor. This certainly was very strange, as the door was always locked at night by Mr Otis, and the windows kept closely barred. The chameleon-like colour, also, of the stain excited a good deal of comment. Some mornings it was a dull (almost Indian) red, then would be vermilion, then a rich purple, and once when they came down for family prayers, according to the simple rites of the Free American Reformed Episcopalian Church, they found it a bright emerald-green. These kaleidoscopic changes naturally amused the party very much, and bets on the subject were freely made every evening. The only person who did not enter into the joke was little Virginia, who, for some unexplained reason, was always a good deal distressed at the sight of the blood-stain,

III

Il mattino seguente, quando la famiglia Otis s'incontrò per la colazione, l'argomento del fantasma venne discusso nei minimi particolari. Il ministro plenipotenziario degli Stati Uniti era piuttosto seccato, com'è naturale, nel constatare che il suo dono non era stato accettato. «Non ho l'intenzione» disse «di fargli del male e, considerando il lunghissimo periodo di tempo che dimora in questa casa, ritengo non sia affatto cortese accoglierlo con lanci di cuscini.» Osservazione molto giusta, alla quale, sono dolente di doverlo dire, i gemelli si misero a ridere. «D'altro canto» proseguì il ministro plenipotenziario «se insiste a non usare il lubrificante Sole d'Oriente, saremo costretti a privarlo delle catene, altrimenti sarà impossibile dormire, con quel baccano proprio fuori dalle stanze da letto.»

Per tutto il resto della settimana, tuttavia, non furono più disturbati e l'unico fenomeno degno di nota fu il continuo rinnovarsi della macchia di sangue sul pavimento della biblioteca. Un fatto davvero molto strano, poiché la porta veniva sempre chiusa a chiave ogni notte dal signor Otis in persona, e le finestre rimanevano ermeticamente sbarrate. Inoltre, il colore cangiante della macchia suscitava un'infinità di commenti. Certe mattine era di un rosso cupo, quasi ruggine, poi diventava vermiglio, altre volte si faceva di un intenso color porpora e un giorno, quando scesero in biblioteca a recitare le preghiere in comune, secondo i semplici riti della Libera Chiesa Americana Episcopale Riformata, la trovarono di un lucente color verde smeraldo. Queste trasformazioni caleidoscopiche, naturalmente, divertivano assai la famiglia, che ogni sera scommetteva allegramente sull'argomento. L'unica persona che non stava al gioco era la piccola Virginia che, per un motivo inspiegabile, rimaneva sempre turbata alla vista della macchia di

and very nearly cried the morning it was emerald-green.

The second appearance of the ghost was on Sunday night. Shortly after they had gone to bed they were suddenly alarmed by a fearful crash in the hall. Rushing downstairs, they found that a large suit of old armour had become detached from its stand, and had fallen on the stone floor, while, seated in a high-backed chair, was the Canterville ghost, rubbing his knees with an expression of acute agony on his face. The twins, having brought their pea-shooters with them, at once discharged two pellets on him, with that accuracy of aim which can only be attained by long and careful practice on a writing-master, while the United States Minister covered him with his revolver, and called upon him, in accordance with Californian etiquette, to hold up his hands! The ghost started up with a wild shriek of rage, and swept through them like a mist, extinguishing Washington Otis's candle as he passed, and so leaving them all in total darkness. On reaching the top of the staircase he recovered himself, and determined to give his celebrated peal of demoniac laughter. This he had on more than one occasion found extremely useful. It was said to have turned Lord Raker's wig grey in a single night, and had certainly made three of Lady Canterville's French governesses give warning before their month was up. He accordingly laughed his most horrible laugh, till the old vaulted roof rang and rang again, but hardly had the fearful echo died away when a door opened, and Mrs Otis came out in a light blue dressing-gown. 'I am afraid you are far from well,' she said, 'and have brought

sangue, e che quasi pianse il mattino che la trovò color verde smeraldo.

Il fantasma fece la sua seconda apparizione nella notte della domenica. Gli Otis erano andati a letto da poco, quando un tremendo tonfo, che proveniva dall'atrio, li mise tutti in allarme. Si precipitarono al piano di sotto e scoprirono che un'enorme armatura antica s'era sganciata dal piedistallo ed era caduta sul pavimento di pietra; su una seggiola dall'alto schienale sedeva il fantasma di Canterville che si massaggiava le ginocchia con un'espressione di acuta sofferenza sul volto. I gemelli, che erano scesi armati delle loro scacciacani, subito gli spararono addosso due scariche di pallottole con quella precisione di mira che si raggiunge soltanto dopo lunghe e diligenti esercitazioni sul proprio professore di calligrafia, mentre il ministro plenipotenziario degli Stati Uniti gli puntava addosso il revolver intimandogli, secondo il galateo californiano, di alzare le mani! Lo spettro balzò in piedi con un urlo selvaggio di rabbia e guizzò tra loro come una folata di nebbia, spegnendo la candela che Washington Otis teneva in mano e immergendoli nelle tenebre. Arrivato in cima alla scalinata si riebbe e decise di scoppiare nella sua celebre risata demoniaca, che in più di un'occasione aveva trovato estremamente utile. Si diceva che avesse fatto diventare grigia, in una sola notte, la parrucca di Lord Raker, ed era comunque innegabile che per causa sua tre governanti francesi di Lady Canterville, una dopo l'altra, avessero dato le dimissioni ancor prima del termine del mese di prova. Esplose dunque nella sua risata più raccapricciante, che risuonò ripetutamente in ogni recesso delle antiche volte, ma la sua eco tremenda non si era ancora spenta quando, apertasi una porta, si affacciò la signora Otis avvolta in una veste da camera celeste, dicendogli: «Temo proprio che lei non si senta bene. Perciò le ho portato una bottiglia di sci-

you a bottle of Dr Dobell's tincture. If it is indigestion, you will find it a most excellent remedy.' The ghost glared at her in fury, and began at once to make preparations for turning himself into a large black dog, an accomplishment for which he was justly renowned, and to which the family doctor always attributed the permanent idiocy of Lord Canterville's uncle, the Hon. Thomas Horton. The sound of approaching footsteps, however, made him hesitate in his fell purpose, so he contented himself with becoming faintly phosphorescent, and vanished with a deep churchyard groan, just as the twins had come up to him.

On reaching his room he entirely broke down, and became a prey to the most violent agitation. The vulgarity of the twins, and the gross materialism of Mrs Otis, were naturally extremely annoying, but what really distressed him most was, that he had been unable to wear the suit of mail. He had hoped that even modern Americans would be thrilled by the sight of a Spectre In Armour, if for no more sensible reason, at least out of respect for their national poet Longfellow, over whose graceful and attractive poetry he himself had whiled away many a weary hour when the Cantervilles were up in town. Besides, it was his own suit. He had worn it with great success at the Kenilworth tournament, and had been highly complimented on it by no less a person than the Virgin Queen herself. Yet when he had put it on, he had been completely overpowered by the weight of the huge breastplate and steel casque, and had fallen

roppo del dottor Dobell. Se si tratta di indigestione, lo troverà un rimedio eccellente». Il fantasma le lanciò un'occhiata furibonda e incominciò subito i preparativi necessari per trasformarsi in un grosso cane nero, impresa per la quale era giustamente famoso e alla quale il medico di famiglia aveva sempre fatto risalire la causa dell'idiozia cronica dello zio di Lord Canterville, l'onorevole Thomas Horton. Ma un rumore di passi che si avvicinavano lo fece recedere dall'infame proposito, e si limitò a emettere una lieve fosforescenza e a svanire con un profondo e funereo gemito proprio quando i gemelli lo avevano raggiunto.

Una volta giunto nella sua stanza, le forze lo abbandonarono, e cadde in preda a un'agitazione estrema. La volgarità dei gemelli e il grezzo materialismo della signora Otis erano, si capisce, assai sgradevoli, ma la sua costernazione era dovuta soprattutto al non essere riuscito a indossare l'armatura. Aveva sperato che persino degli americani moderni sarebbero rabbrividiti dinanzi a uno Spettro in Armatura, se non per un motivo logico, almeno per il rispetto dovuto al loro poeta nazionale Longfellow,* grazie alle cui poesie ricche di eleganza e di fascino egli stesso aveva trascorso più di un'ora in ozio, mentre i Canterville erano in città. Inoltre, si trattava della sua armatura personale. L'aveva indossata con successo al torneo di Kenilworth e ne era stato complimentato nientemeno che dalla regina Elisabetta in persona. Eppure, una volta indossatala, era stato sopraffatto dal peso enorme della corazza e dell'elmo d'acciaio, ed era caduto pesantemente sul pavimento

* Il riferimento è alla poesia di Longfellow *The Skeleton in Armour* («Lo scheletro nell'armatura») del 1841, e le poesie di Longfellow, in particolare quella a cui si riferisce il fantasma, peccano spesso di retorica: la definizione «*graceful and attractive*» va intesa anch'essa, probabilmente, in senso ironico.

heavily on the stone pavement, barking both his knees severely, and bruising the knuckles of his right hand.

For some days after this he was extremely ill, and hardly stirred out of his room at all, except to keep the blood-stain in proper repair. However, by taking great care of himself, he recovered, and resolved to make a third attempt to frighten the United States Minister and his family. He selected Friday, the 17th of August, for his appearance, and spent most of that day in looking over his wardrobe, ultimately deciding in favour of a large slouched hat with a red feather, a winding-sheet frilled at the wrists and neck, and a rusty dagger. Towards evening a violent storm of rain came on, and the wind was so high that all the windows and doors in the old house shook and rattled. In fact, it was just such weather as he loved. His plan of action was this. He was to make his way quietly to Washington Otis's room, gibber at him from the foot of the bed, and stab himself three times in the throat to the sound of low music. He bore Washington a special grudge, being quite aware that it was he who was in the habit of removing the famous Canterville blood-stain, by means of Pinkerton's Paragon Detergent. Having reduced the reckless and foolhardy youth to a condition of abject terror, he was then to proceed to the room occupied by the United States Minister and his wife, and there to place a clammy hand on Mrs Otis's forehead, while he hissed into her trembling husband's ear the awful secrets of the charnel-house. With regard to little Virginia, he had not quite made up his mind. She had never insulted him in any way, and was pretty and gentle. A few hollow groans from the wardrobe, he thought, would be more than sufficient, or, if that

di pietra scorticandosi le ginocchia e ammaccandosi le nocche della mano destra.

Dopo questo infortunio si ammalò seriamente per alcuni giorni e non si mosse dalla propria stanza se non per rinnovare la macchia di sangue. Si curò con molta diligenza e alla fine ritornò in forma; decise allora di provare a spaventare per la terza volta il ministro plenipotenziario degli Stati Uniti e la sua famiglia. Scelse il 17 agosto, un venerdì, per fare la sua apparizione e trascorse gran parte della giornata nell'esaminare il suo guardaroba: decise alla fine per un grande cappello floscio a tesa larga ornato di una piuma rossa, un sudario arricciato ai polsi e al collo e una daga arrugginita. Verso sera scoppiò un violento temporale, cadde la pioggia e il vento era talmente forte che tutte le porte e le finestre del vecchio castello sbattevano e cigolavano: era giusto il tempo da lui preferito. Questo era il suo piano d'azione: sarebbe entrato silenziosamente nella camera di Washington Otis, e dai piedi del letto l'avrebbe terrorizzato borbottando parole sconnesse, poi si sarebbe pugnalato per tre volte alla gola al suono di una lenta musica. Contro Washington nutriva un rancore speciale sapendo che era lui a rimuovere la famosa macchia di sangue dei Canterville tramite l'Impareggiabile Detergente Pinkerton. Una volta che avesse ridotto in uno stato di indicibile terrore quel giovane temerario e avventato, sarebbe passato nella camera occupata dal ministro plenipotenziario degli Stati Uniti e da sua moglie, e avrebbe posato una mano gelida sulla fronte della signora Otis sussurrando all'orecchio del suo tremante consorte gli orrendi segreti degli ossari. In quanto alla piccola Virginia, non aveva ancora deciso come comportarsi. Non l'aveva mai insultato in alcun modo ed era graziosa e gentile. Pensò che nel suo caso sarebbe bastato qualche gemito cavernoso proveniente dall'armadio o, se questo non l'a-

failed to wake her, he might grabble at the counterpane with palsy-twitching fingers. As for the twins, he was quite determined to teach them a lesson. The first thing to be done was, of course, to sit upon their chests, so as to produce the stifling sensation of nightmare. Then, as their beds were quite close to each other, to stand between them in the form of a green, icy-cold corpse, till they became paralysed with fear, and finally, to throw off the winding-sheet, and crawl round the room, with white, bleached bones and one rolling eyeball, in the character of 'Dumb Daniel, or the Suicide's Skeleton,' a *rôle* in which he had on more than one occasion produced a great effect, and which he considered quite equal to his famous part of 'Martin the Maniac, or the Masked Mystery.'

At half-past ten he heard the family going to bed. For some time he was disturbed by wild shrieks of laughter from the twins, who, with the light-hearted gaiety of schoolboys, were evidently amusing themselves before they retired to rest, but at a quarter past eleven all was still, and, as midnight sounded, he sallied forth. The owl beat against the window panes, the raven croaked from the old yew-tree, and the wind wandered moaning round the house like a lost soul; but the Otis family slept unconscious of their doom, and high above the rain and storm he could hear the steady snoring of the Minister for the United States. He stepped stealthily out of the wainscoting, with an evil smile on his cruel, wrinkled mouth, and the moon hid her face in a cloud as he stole past the great oriel window, where his own arms and those of his murdered wife were blazoned in azure and gold. On and on he glided, like an evil shadow, the very darkness seeming to loathe him as

vesse svegliata, avrebbe afferrato il copriletto con le dita della mano scosse da un leggero tremito. In quanto ai gemelli, aveva intenzione di impartir loro una lezione che non avrebbero scordato. La prima cosa da fare era naturalmente sedersi sul loro petto, per produrre in loro la sensazione soffocante dell'incubo. Poi, dato che i loro letti erano accostati, si sarebbe messo nel mezzo in forma di cadavere verde e gelido fino a farli rimanere agghiacciati dal terrore, e alla fine avrebbe gettato via il sudario e avrebbe strisciato per la stanza con le bianche ossa calcinate e una sola pupilla roteante, come "Daniele il Muto, ovvero lo Scheletro del Suicida", un *rôle* in cui si era più volte esibito con superbo effetto, e che lui reputava efficace quanto la sua interpretazione di "Martino il Maniaco, ovvero il Mistero Mascherato".

Alle dieci e mezzo sentì gli Otis ritirarsi nelle rispettive camere. Per qualche tempo fu disturbato dagli scoppi di risa dei gemelli che con spensierata gaiezza di scolari stavano evidentemente divertendosi prima di coricarsi, ma alle undici e un quarto arrivò la calma totale e, allo scoccare della mezzanotte, egli fece la sua sortita. Il gufo batteva le ali contro le vetrate, il corvo gracchiava in cima al vecchio tasso e il vento errava ululando lungo l'abitazione, simile a un'anima dannata; ma la famiglia Otis dormiva ignorando il destino che l'aspettava: più sonoro della tempesta che imperversava all'esterno, il fantasma udiva il ritmico russare del ministro plenipotenziario degli Stati Uniti. Emerse silenziosamente dai pannelli di legno, con un sorriso malefico sulla grinzosa bocca crudele, e la luna si coprì il volto dietro una nuvola mentre, furtivo, egli passava oltre la grande finestra ogivale, dove il suo stemma e quello della moglie assassinata rilucevano in campo azzurro e oro. Strisciò via senza mai fermarsi, come un'ombra malvagia, e parve che le tenebre

he passed. Once he thought he heard something call, and stopped; but it was only the baying of a dog from the Red Farm, and he went on, muttering strange sixteenth-century curses, and ever and anon brandishing the rusty dagger in the midnight air. Finally he reached the corner of the passage that led to luckless Washington's room. For a moment he paused there, the wind blowing his long grey locks about his head, and twisting into grotesque and fantastic folds the nameless horror of the dead man's shroud. Then the clock struck the quarter, and he felt the time was come. He chuckled to himself, and turned the corner; but no sooner had he done so, than, with a piteous wail of terror, he fell back, and hid his blanched face in his long, bony hands. Right in front of him was standing a horrible spectre, motionless as a carven image, and monstrous as a madman's dream! Its head was bald and burnished; its face round, and fat, and white; and hideous laughter seemed to have writhed its features into an eternal grin. From the eyes streamed rays of scarlet light, the mouth was a wide well of fire, and a hideous garment, like to his own, swathed with its silent snows the Titan form. On its breast was a placard with strange writing in antique characters, some scroll of shame it seemed, some record of wild sins, some awful calendar of crime, and, with its right hand, it bore aloft a falchion of gleaming steel.

Never having seen a ghost before, he naturally was terribly frightened, and, after a second hasty glance at the awful phantom, he fled back to his room, tripping up in his long winding sheet as he sped down the corridor, and finally dropping the rusty

stesse provassero disgusto al suo passaggio. A un certo punto ebbe l'impressione che qualcuno stesse chiamando e si fermò; ma si trattava del latrato di un cane alla Fattoria Rossa, e il fantasma proseguì, pronunciando strane maledizioni cinquecentesche e brandendo di quando in quando nell'aria notturna la sua daga arrugginita. Giunse finalmente all'angolo del corridoio che portava alla camera dello sfortunato Washington e si fermò un attimo, mentre il vento gli soffiava le lunghe ciocche grigie sul viso e muoveva in pieghe grottesche e raccapriccianti l'orrore senza nome del sudario. Poi l'orologio suonò il quarto ed egli pensò che fosse giunto il momento di agire. Emise una risata soddisfatta, ma, non appena svoltò l'angolo, ricadde all'indietro con un patetico gemito di terrore e si nascose il volto sbiancato dietro le lunghe mani ossute. Giusto dinanzi a lui si ergeva uno spettro orribile, immobile come una statua e mostruoso come la chimera di un pazzo! La testa era pelata e brunita; la faccia era tonda, grassa, lattea e una risata tremenda sembrava averne contorto l'espressione in un ghigno perenne. Dagli occhi uscivano fiotti di luce scarlatta, la bocca pareva una tana infuocata e un abito orrendo, simile al suo, ricopriva come neve immobile quella forma gigantesca. Sul suo petto era appeso un cartello vergato in strani caratteri antichi che assomigliava a qualche bando vergognoso, a qualche testimonianza di colpe innominabili, a qualche tremendo calendario del crimine; e con la mano destra brandiva un falcetto di acciaio luccicante.

Non avendo mai visto prima un fantasma, ne fu naturalmente molto spaventato e, dopo aver lanciato una seconda, furtiva occhiata alla paurosa apparizione, si precipitò nella sua stanza, inciampando nel lungo lenzuolo svolazzante mentre fuggiva giù per il corridoio, e alla fine lasciò cadere la daga arruggini-

dagger into the Minister's jack-boots, where it was found in the morning by the butler. Once in the privacy of his own apartment, he flung himself down on a small pallet-bed, and hid his face under the clothes. After a time, however, the brave old Canterville spirit asserted itself, and he determined to go and speak to the other ghost as soon as it was daylight. Accordingly, just as the dawn was touching the hills with silver, he returned towards the spot where he had first laid eyes on the grisly phantom, feeling that, after all, two ghosts were better than one, and that, by the aid of his new friend, he might safely grapple with the twins. On reaching the spot, however, a terrible sight met his gaze. Something had evidently happened to the spectre, for the light had entirely faded from its hollow eyes, the gleaming falchion had fallen from its hand, and it was leaning up against the wall in a strained and uncomfortable attitude. He rushed forward and seized it in his arms, when, to his horror, the head slipped off and rolled on the floor, the body assumed a recumbent posture, and he found himself clasping a white dimity bed-curtain, with a sweeping-brush, a kitchen cleaver, and a hollow turnip lying at his feet! Unable to understand this curious transformation, he clutched the placard with feverish haste, and there, in the grey morning light, he read these fearful words:

Ye Otis Ghoste.
Ye Onlie True and Originale Spook.
Beware of Ye Imitationes.
All others are Counterfeite.

ta negli stivali da caccia del ministro plenipotenziario, dove fu ritrovata la mattina seguente dal maggiordomo. Una volta raggiunta l'intimità della sua camera, si buttò sopra un giaciglio e si nascose il volto sotto le coperte. Dopo poco, tuttavia, l'atavico e valoroso spirito dei Canterville si ridiede forza e decise di andare a parlare all'altro fantasma non appena fosse spuntato il sole. Conseguentemente, non appena l'alba sfiorò le colline con la sua argentea luce, ritornò sul luogo dove per la prima volta aveva posato gli occhi sul pauroso fantasma, convinto che, dopo tutto, due fantasmi valgono più di uno solo e che, con l'aiuto del nuovo nemico, sarebbe riuscito a spuntarla sui gemelli. Una volta arrivato sul posto, però, uno spettacolo orribile s'offerse alla sua vista. Qualcosa doveva essere capitato allo spettro poiché la luce era del tutto scomparsa dai suoi occhi infossati, il falcetto luccicante gli era caduto di mano e se ne stava appoggiato contro il muro in un atteggiamento innaturale e scomodo. Si fece avanti e lo prese tra le braccia quando, con suo grande orrore, la testa rotolò giù per terra, il corpo si afflosciò riverso, ed egli si trovò a stringere una tenda da letto in cotonina bianca, una scopa, un coltellaccio da cucina, mentre ai piedi gli rotolava una zucca vuota! Non riuscendo a capire questa strana trasformazione, afferrò il cartello con ansia febbrile e là, nella luce grigia del primo mattino, lesse le seguenti, spaventevoli parole:

Il Fantasma De Otis.
L'Unico Fantasma Verace e Originale.
Guardatevi dalle Imitazioni.
Tutti gli altri sono Falsi.*

* L'originale è scritto in un divertente inglese antico interpretato con una certa fantasia dai due ragazzi americani.

The whole thing flashed across him. He had been tricked, foiled, and outwitted! The old Canterville look came into his eyes; he ground his toothless gums together; and, raising his withered hands high above his head, swore, according to the picturesque phraseology of the antique school, that when Chanticleer had sounded twice his merry horn, deeds of blood would be wrought, and Murder walk abroad with silent feet.

Hardly had he finished this awful oath when, from the redtiled roof of a distant homestead, a cock crew. He laughed a long, low, bitter laugh, and waited. Hour after hour he waited, but the cock, for some strange reason, did not crow again. Finally, at half-past seven, the arrival of the housemaids made him give up his fearful vigil, and he stalked back to his room, thinking of his vain oath and baffled purpose. There he consulted several books of ancient chivalry, of which he was exceedingly fond, and found that, on every occasion on which this oath had been used, Chanticleer had always crowed a second time. 'Perdition seize the naughty fowl,' he muttered, 'I have seen the day when, with my stout spear, I would have run him through the gorge, and made him crow for me an 'twere in death!' He then retired to a comfortable lead coffin, and stayed there till evening.

IV

The next day the ghost was very weak and tired. The terrible excitement of the last four weeks was beginning to have its effect. His nerves were completely shattered, and he started at the slightest noise. For

A un tratto capì ogni cosa. Era stato gabbato, burlato e sconfitto! Lo sguardo dei Canterville gli si accese negli occhi; digrignò le gengive sdentate e, alzando le mani scheletriche sopra la testa, giurò con la pittoresca fraseologia della scuola antica che, allorquando Cantachiaro avesse suonato per due volte il suo allegro corno, sarebbero accadute gesta sanguinose e l'Assassinio si sarebbe avventurato nei dintorni con passi felpati.

Non aveva finito di declamare questo orrendo giuramento che dal tetto rosso di un lontano casolare si udì il canto di un gallo. Egli proruppe in una lunga, bassa risata amara e poi si mise all'ascolto. Aspettò un'ora dopo l'altra, ma il gallo, per qualche strana ragione, non cantò più. Infine, alle sette e mezzo, l'arrivo delle domestiche lo fece rinunciare alla sua paurosa veglia, e strisciò quindi verso la sua stanza, ripensando ai suoi vani giuramenti e ai suoi progetti sconfitti. Quindi consultò diversi libri di cavalleria antica, che amava particolarmente, e scoprì che ogni qual volta era stato solennemente pronunciato quel giuramento, Cantachiaro aveva sempre cantato una seconda volta. «Che la maledizione ti colga, indegno volatile!» borbottò tra sé «e dire che nei bei tempi passati gli avrei trapassato la gola con la mia forte lancia e l'avrei fatto cantare nella sua agonia mortale!» Poco dopo si coricò nella sua comoda bara di piombo e vi rimase fino a sera.

IV

Il giorno seguente il fantasma si sentì molto debole e stanco. Gli avvenimenti frenetici di quelle ultime quattro settimane cominciavano a lasciare su di lui il segno. I suoi nervi erano completamente a pezzi e sussultava al minimo rumore. Non uscì dalla sua

five days he kept his room, and at last made up his mind to give up the point of the blood-stain on the library floor. If the Otis family did not want it, they clearly did not deserve it. They were evidently people on a low, material plane of existence, and quite incapable of appreciating the symbolic value of sensuous phenomena. The question of phantasmic apparitions, and the development of astral bodies, was of course quite a different matter, and really not under his control. It was his solemn duty to appear in the corridor once a week, and to gibber from the large oriel window on the first and third Wednesdays in every month, and he did not see how he could honourably escape from his obligations. It is quite true that his life had been very evil, but, upon the other hand, he was most conscientious in all things connected with the supernatural. For the next three Saturdays, accordingly, he traversed the corridor as usual between midnight and three o'clock, taking every possible precaution against being either heard or seen. He removed his boots, trod as lightly as possible on the old worm-eaten boards, wore a large black velvet cloak, and was careful to use the Rising Sun Lubricator for oiling his chains. I am bound to acknowledge that it was with a good deal of difficulty that he brought himself to adopt this last mode of protection. However, one night, while the family were at dinner, he slipped into Mr Otis's bedroom and carried off the bottle. He felt a little humiliated at first, but afterwards was sensible enough to see that there was a great deal to be said for the invention, and, to a certain degree, it served his purpose. Still, in spite of everything, he was not left unmolested. Strings were continually being stretched across the corridor, over which he tripped in the dark, and on one occasion,

stanza per cinque giorni consecutivi e, alla fine, decise di lasciar perdere la questione della macchia di sangue sul pavimento della biblioteca. Dal momento che la famiglia Otis non la voleva, era chiaro che non se la meritava. Erano evidentemente persone che occupavano una posizione inferiore e materiale nella scala dell'esistenza, incapaci di apprezzare il valore simbolico dei fenomeni sensibili. La questione delle apparizioni spettrali e lo sviluppo dei corpi astrali era, ovviamente, una faccenda totalmente diversa e non proprio di sua competenza. Era suo dovere inappellabile farsi vedere nel corridoio una volta alla settimana e borbottare frasi sconnesse dalla grande finestra ogivale il primo e il terzo mercoledì d'ogni mese, e non riusciva a trovare il modo di sottrarsi a questi impegni senza perdere la faccia. Era innegabile che la sua era stata una vita assai malvagia ma, d'altro canto, era coscienzioso al massimo in tutto quello che riguardava il mondo soprannaturale. I tre sabati successivi, di conseguenza, attraversò come al solito il corridoio fra mezzanotte e le tre del mattino, prendendo ogni precauzione affinché non venisse né udito né visto. Si tolse gli stivali, camminò il più leggermente possibile su quel pavimento di legno tarlato, indossò un grande mantello di velluto nero, e si curò di oliare le sue catene col lubrificante Sole d'Oriente. È mio dovere riconoscere che adottò quest'ultimo mezzo di protezione non senza grande difficoltà. Una sera, tuttavia, mentre la famiglia era a tavola, si insinuò nella stanza del signor Otis e ne trafugò un flacone. Si sentì dapprincipio un po' umiliato, ma poi fu abbastanza obiettivo nel riconoscere che l'invenzione non era priva di pregi e che, in un certo senso, serviva anche ai suoi scopi. Eppure, nonostante questo, non fu lasciato in pace. Gli Otis stendevano continuamente attraverso il corridoio delle corde, sulle quali inciampava nel buio, e una

while dressed for the part of 'Black Isaac, or the Huntsman of Hogley Woods,' he met with a severe fall, through treading on a butter-slide, which the twins had constructed from the entrance of the Tapestry Chamber to the top of the oak staircase. This last insult so enraged him, that he resolved to make one final effort to assert his dignity and social position, and determined to visit the insolent young Etonians the next night in his celebrated character of 'Reckless Rupert, or the Headless Earl.'

He had not appeared in this disguise for more than seventy years: in fact, not since he had so frightened pretty Lady Barbara Modish by means of it, that she suddenly broke off her engagement with the present Lord Canterville's grandfather, and ran away to Gretna Green with handsome Jack Castletown, declaring that nothing in the world would induce her to marry into a family that allowed such a horrible phantom to walk up and down the terrace at twilight. Poor Jack was afterwards shot in a duel by Lord Canterville on Wandsworth Common, and Lady Barbara died of a broken heart at Tunbridge Wells before the year was out, so, in every way, it had been a great success. It was, however, an extremely difficult 'make-up', if I may use such a theatrical expression in connection with one of the greatest mysteries of the supernatural, or, to employ a more scientific term, the highernatural world, and it took him fully three hours to make his preparations. At last everything was ready, and he was very pleased with his appearance. The big leather riding-boots that went with the dress were just a little too large for him, and he could only find one of the two horse-pistols, but, on the whole, he was quite satisfied, and

volta, vestito per la parte di "Isacco il Nero, ovvero il Cacciatore del Bosco di Hogley", gli capitò di cadere in malo modo, scivolando sopra una striscia di burro che i gemelli avevano spalmato dall'ingresso della Sala degli Arazzi fino in cima alle scale di quercia. Quest'ultimo affronto gli procurò una tale rabbia che decise di fare un ultimo sforzo per riaffermare la sua dignità e posizione sociale e risolse di far visita la notte seguente a quegli insolenti studentelli di Eton nella sua celebre personificazione di "Rupert il Temerario, ovvero il Conte Decapitato".

Non era apparso in quel travestimento da più di settant'anni; da quando, esattamente, aveva tanto spaventato la graziosa Lady Barbara Modish da indurla a rompere all'improvviso il suo fidanzamento con il nonno dell'attuale Lord Canterville e a fuggire a Gretna Green dove si era sposata con il bel Jack Castletown, dichiarando che niente al mondo l'avrebbe convinta a far parte di una famiglia che permetteva a un fantasma tanto orrendo di camminare su e giù per la terrazza all'ora del crepuscolo. Il povero Jack era stato poi ucciso in un duello alla pistola da Lord Canterville sul prato comunale di Wandsworth e, prima della fine dell'anno, Lady Barbara era morta di crepacuore a Tunbridge Wells, e perciò il travestimento era stato in tutti i sensi un grande successo. Richiedeva tuttavia un trucco assai difficile, se mi è lecito usare un'espressione così teatrale in rapporto a uno dei più grandi misteri del mondo soprannaturale o, per usare un termine più scientifico, del mondo preternaturale, e gli ci vollero più di tre ore per completare i preparativi. Ma alla fine fu tutto pronto ed egli rimase molto soddisfatto del proprio aspetto. I grossi stivali di cuoio che accompagnavano il vestito erano un tantino troppo grandi per lui e riuscì a trovare solo una delle due pistole, ma nel complesso si sentiva abbastanza soddisfatto e all'una

at a quarter past one he glided out of the wainscoting and crept down the corridor. On reaching the room occupied by the twins, which I should mention was called the Blue Bed Chamber, on account of the colour of its hangings, he found the door just ajar. Wishing to make an effective entrance, he flung it wide open, when a heavy jug of water fell right down on him, wetting him to the skin, and just missing his left shoulder by a couple of inches. At the same moment he heard stifled shrieks of laughter proceeding from the four-post bed. The shock to his nervous system was so great that he fled back to his room as hard as he could go, and the next day he was laid up with a severe cold. The only thing that at all consoled him in the whole affair was the fact that he had not brought his head with him, for, had he done so, the consequences might have been very serious.

He now gave up all hope of ever frightening this rude American family, and contented himself, as a rule, with creeping about the passages in list slippers, with a thick red muffler round his throat for fear of draughts, and a small arquebuse, in case he should be attacked by the twins. The final blow he received occurred on the 19th of September. He had gone downstairs to the great entrance-hall, feeling sure that there, at any rate, he would be quite unmolested, and was amusing himself by making satirical remarks on the large Saroni photographs of the United States Minister and his wife, which had now taken the place of the Canterville family pictures. He was simply but neatly clad in a long shroud, spotted with churchyard mould, had tied up his jaw with a

e un quarto scivolò fuori dal pannello di legno e si avviò strisciando lungo il corridoio. Una volta giunto alla camera occupata dai gemelli, conosciuta (dovrei forse ricordare) come la Camera da letto Blu per il colore delle tende, vi trovò la porta socchiusa. Volendo fare un ingresso trionfale, la spalancò del tutto e allora una brocca d'acqua gli si rovesciò addosso, inzuppandolo fino alle midolla e sfiorando di pochi centimetri la sua spalla sinistra. Udì contemporaneamente delle risatine soffocate, provenienti dai letti a baldacchino. Lo shock provocato al suo sistema nervoso fu così forte che riparò velocemente nella sua stanza, e il giorno seguente dovette restare a letto con un tremendo raffreddore. L'unica cosa che riuscì a consolarlo fu il fatto che non si era portato appresso la testa perché, se così avesse fatto, le conseguenze sarebbero state forse molto gravi.

A questo punto abbandonò ogni speranza di poter mai spaventare quella volgare famiglia americana e si accontentò, di regola, di strisciare nei corridoi indossando pantofole dalle suole di feltro, con una grossa sciarpa di lana rossa annodata al collo per paura delle correnti d'aria e un piccolo archibugio, nel caso venisse attaccato dai gemelli. Ricevette il colpo di grazia il 19 settembre. Era sceso giù nel grande vestibolo centrale, convinto che almeno lì nessuno l'avrebbe molestato, e si stava divertendo a fare commenti satirici sulle grandi fotografie di Saroni* fatte al ministro plenipotenziario degli Stati Uniti e a sua moglie, che avevano adesso preso il posto dei ritratti di famiglia dei Canterville. Era vestito in modo semplice ma elegante di un lungo sudario macchiato di muffa cimiteriale, si era legato la ma-

* Tra i più noti fotografi americani di celebrità, Saroni fotografò anche Wilde.

strip of yellow linen, and carried a small lantern and a sexton's spade. In fact, he was dressed for the character of 'Jonas the Graveless, or the Corpse-Snatcher of Chertsey Barn,' one of his most remarkable impersonations, and one which the Cantervilles had every reason to remember, as it was the real origin of their quarrel with their neighbour, Lord Rufford. It was about a quarter past two o'clock in the morning, and, as far as he could ascertain, no one was stirring. As he was strolling towards the library, however, to see if there were any traces left of the blood-stain, suddenly there leaped out on him from a dark corner two figures, who waved their arms wildly above their heads, and shrieked out 'BOO!' in his ear.

Seized with a panic, which, under the circumstances, was only natural, he rushed for the staircase, but found Washington Otis waiting for him there with the big garden-syringe; and being thus hemmed in by his enemies on every side, and driven almost to bay, he vanished into the great iron stove, which, fortunately for him, was not lit, and had to make his way home through the flues and chimneys, arriving at his own room in a terrible state of dirt, disorder, and despair.

After this he was not seen again on any nocturnal expedition. The twins lay in wait for him on several occasions, and strewed the passages with nutshells every night to the great annoyance of their parents and the servants, but it was of no avail. It was quite evident that his feelings were so wounded that he would not appear. Mr Otis consequently resumed his great work on the history of the Democratic Party, on which he had been engaged for some years; Mrs Otis organised a wonderful clam-bake, which amazed the whole county; the boys took to lacrosse, euchre,

scella con una striscia gialla di lino, e portava una piccola lanterna e una vanga da becchino. Si era travestito, in effetti, per la parte di "Giona l'Insepolto, ovvero il Ladro di Cadaveri di Chertsey Barn", una delle sue personificazioni migliori che i Canterville avevano ogni motivo di ricordare, poiché era stata la vera origine del loro litigio col vicino Lord Rufford. Erano circa le due e un quarto del mattino e si era accertato che nessuno fosse ancora in piedi; ma, mentre si dirigeva tranquillamente verso la biblioteca per vedere se ci fosse ancora qualche traccia della macchia di sangue, ecco che improvvisamente gli balzarono addosso, da un angolo buio, due figure che agitavano follemente le braccia sopra la testa e che gli gridarono «Buu!» nell'orecchio.

Colto dal panico, il che – date le circostanze – era una reazione piuttosto naturale, si precipitò verso le scale ma lì vi trovò ad attenderlo Washington Otis, armato di una grande canna per annaffiare; trovandosi circondato da ogni parte da nemici, e quasi ridotto allo stremo, si dileguò dentro una grande stufa di ghisa, che fortunatamente per lui non era accesa, e dovette tornarsene in camera attraverso le canne e le cappe dei camini, giungendovi con i vestiti ricoperti di fuliggine, e in uno stato di estrema disperazione.

Da allora non lo si rivide più in spedizioni notturne. I gemelli rimasero in agguato più di una volta, e ogni notte seminavano nel corridoio gusci di noce, con grande fastidio dei congiunti e della servitù, ma fu tutto vano. I suoi sentimenti erano stati feriti a tal punto che ormai, evidentemente, non voleva più farsi vedere. Il signor Otis perciò riprese a scrivere la sua grande opera sulla storia del Partito Democratico, un libro a cui lavorava da diversi anni; la signora Otis organizzò una meravigliosa festa campestre all'americana che stupì l'intera contea; i ragazzi si dettero ai giochi del *lacrosse*, dell'*euchre*, del poker e ad altri svaghi nazio-

poker, and other American national games; and Virginia rode about the lanes on her pony, accompanied by the young Duke of Cheshire, who had come to spend the last week of his holidays at Canterville Chase. It was generally assumed that the ghost had gone away, and, in fact, Mr Otis wrote a letter to that effect to Lord Canterville, who, in reply, expressed his great pleasure at the news, and sent his best congratulations to the Minister's worthy wife.

The Otises, however, were deceived, for the ghost was still in the house, and though now almost an invalid, was by no means ready to let matters rest, particularly as he heard that among the guests was the young Duke of Cheshire, whose grand-uncle, Lord Francis Stilton, had once bet a hundred guineas with Colonel Carbury that he would play dice with the Canterville ghost, and was found the next morning lying on the floor of the card-room in such a helpless paralytic state, that though he lived on to a great age, he was never able to say anything again but 'Double Sixes.' The story was well known at the time, though, of course, out of respect to the feelings of the two noble families, every attempt was made to hush it up; and a full account of all the circumstances connected with it will be found in the third volume of Lord Tattle's *Recollections of the Prince Regent and his Friends*. The ghost, then, was naturally very anxious to show that he had not lost his influence over the Stiltons, with whom, indeed, he was distantly connected, his own first cousin having been married *en secondes noces* to the Sieur de Bulkeley, from whom, as every one knows, the Dukes of Cheshire are lineally descended. Accordingly, he made arrangements for appearing to Virginia's little lover in his celebrated impersonation of 'The Vampire Monk, or, the Bloodless Benedictine,' a performance

nali americani, e Virginia cominciò a cavalcare per i sentieri di campagna sul suo pony, accompagnata dal giovane duca di Cheshire, giunto a Canterville Chase a trascorrervi l'ultima settimana di vacanza. Tutti ormai ritenevano che il fantasma se ne fosse andato via e, anzi, il signor Otis scrisse a Lord Canterville una lettera per informarlo della cosa e ricevette in risposta il vivo rallegramento del Lord, insieme alle sue più sincere felicitazioni alla gentile consorte del ministro plenipotenziario.

Gli Otis, tuttavia, si ingannavano poiché il fantasma era sempre nel castello e, benché ridotto a mal partito, non si era affatto rassegnato alla sorte, soprattutto da quando aveva scoperto che tra gli ospiti si trovava il giovane duca di Cheshire il cui prozio, Lord Francis Stilton, aveva una volta scommesso cento ghinee con il colonnello Carbury che avrebbe giocato ai dadi col fantasma di Canterville ed era stato trovato il mattino seguente sul pavimento della sala da gioco, paralizzato, e malgrado fosse poi vissuto fino a una veneranda età, da allora non aveva pronunciato altro che «Doppio sei». Lo scandalo ebbe una certa risonanza all'epoca, quantunque, per rispetto ai sentimenti delle due nobili famiglie, venisse compiuto naturalmente ogni tentativo per soffocarlo; un resoconto completo dei fatti salienti si può trovare nel terzo volume delle *Memorie del Principe Reggente e dei suoi amici*, scritto da Lord Tattle. Il fantasma, dunque, era comprensibilmente molto ansioso di mostrare che non aveva perso il suo ascendente sulla famiglia Stilton, con la quale, anzi, era lontanamente imparentato, avendo una sua prima cugina sposato *en secondes noces* il Sieur de Bulkeley dal quale, come tutti sanno, discendono i duchi di Cheshire. Perciò cominciò i preparativi per la sua celebre apparizione, destinata al giovane spasimante di Virginia, sotto le vesti del "Monaco Vampiro, ovvero il Benedettino Esangue", una

so horrible that when old Lady Startup saw it, which she did on one fatal New Year's Eve, in the year 1764, she went off into the most piercing shrieks, which culminated in violent apoplexy, and died in three days, after disinheriting the Cantervilles, who were her nearest relations, and leaving all her money to her London apothecary. At the last moment, however, his terror of the twins prevented his leaving his room, and the little Duke slept in peace under the great feathered canopy in the Royal Bedchamber, and dreamed of Virginia.

V

A few days after this, Virginia and her curly-haired cavalier went out riding on Brockley meadows, where she tore her habit so badly in getting through a hedge, that, on their return home, she made up her mind to go up by the back staircase so as not to be seen. As she was running past the Tapestry Chamber, the door of which happened to be open, she fancied she saw some one inside, and thinking it was her mother's maid, who sometimes used to bring her work there, looked in to ask her to mend her habit. To her immense surprise, however, it was the Canterville Ghost himself! He was sitting by the window, watching the ruined gold of the yellowing trees fly through the air, and the red leaves dancing madly down the long avenue. His

parte tanto orribile che quando l'anziana Lady Startup la vide, quel fatale Capodanno del 1764, si mise a urlare come una forsennata, e venne colta da un violento attacco di apoplessia di cui morì tre giorni dopo, non senza aver prima diseredato i Canterville, suoi congiunti più prossimi, e lasciato tutto il proprio patrimonio al suo farmacista di Londra. All'ultimo momento, tuttavia, la paura che aveva dei gemelli gli impedì di lasciare la stanza e fu così che il piccolo duca dormì in pace sotto il gran baldacchino piumato della Camera Reale, dove sognò Virginia.

V

Qualche giorno dopo, Virginia e il suo cavaliere dai capelli ondulati uscirono per una passeggiata a cavallo sui prati di Brockley dove Virginia, saltando una siepe, si strappò malamente il costume da amazzone; una volta tornata a casa, decise dunque di salire dalla scala di servizio, affinché nessuno la vedesse. Mentre correva oltre la Sala degli Arazzi, la cui porta era per caso aperta, ebbe l'impressione di scorgervi dentro qualcuno, e pensando si trattasse della cameriera di sua madre, che talvolta vi portava il suo lavoro, si affacciò per chiederle di rammendarle il vestito. Con sua grande sorpresa, tuttavia, si trattava del fantasma di Canterville in persona! Era seduto accanto alla finestra, intento a osservare l'oro consunto dcgli alberi ingialliti dileguarsi nell'aria e le foglie rosse danzare follemente giù per il lungo viale.*

* L'ironia di Wilde è imparziale e colpisce la cultura inglese non meno di quella americana: la descrizione del paesaggio osservato dal fantasma è ripresa in chiave parodistica da una poesia di Alfred Tennyson (1809-1892), *Maud*, e da una di Samuel T. Coleridge (1772-1834), *Christabel*, due dei più celebri poeti inglesi.

head was leaning on his hand, and his whole attitude was one of extreme depression. Indeed, so forlorn, and so much out of repair did he look, that little Virginia, whose first idea had been to run away and lock herself in her room, was filled with pity, and determined to try and comfort him. So light was her footfall, and so deep his melancholy, that he was not aware of her presence till she spoke to him.

'I am so sorry for you,' she said, 'but my brothers are going back to Eton to-morrow, and then, if you behave yourself, no one will annoy you.'

'It is absurd asking me to behave myself,' he answered, looking round in astonishment at the pretty little girl who had ventured to address him, 'quite absurd. I must rattle my chains, and groan through keyholes, and walk about at night, if that is what you mean. It is my only reason for existing.'

'It is no reason at all for existing, and you know you have been very wicked. Mrs Umney told us, the first day we arrived here, that you had killed your wife.'

'Well, I quite admit it,' said the Ghost petulantly, 'but it was a purely family matter, and concerned no one else.'

'It is very wrong to kill any one,' said Virginia, who at times had a sweet Puritan gravity, caught from some old New England ancestor.

'Oh, I hate the cheap severity of abstract ethics! My wife was very plain, never had my ruffs properly starched, and knew nothing about cookery. Why, there was a buck I had shot in Hogley Woods, a magnificent pricket, and do you know how she had it sent up to table? However, it is no matter now, for it is all

Aveva la testa appoggiata sulla mano, in un atteggiamento di estrema depressione. In verità appariva così sconsolato e male in arnese, che la piccola Virginia, la cui prima reazione era stata quella di fuggire via e di rinchiudersi nella sua camera, fu presa da una grande compassione e decise di cercare di confortarlo. Il suo passo era così leggero, e così profonda era la malinconia del fantasma, che costui non si accorse della sua presenza se non quando lei gli rivolse la parola.

«Mi dispiace per lei» disse «ma i miei fratelli tornano domani a Eton e perciò, se lei si comporterà bene, nessuno la disturberà più.»

«È assurdo esigere che mi comporti bene» rispose, volgendo lo sguardo attonito verso la piccola e graziosa ragazza che aveva avuto l'audacia di parlargli «davvero assurdo. Io devo scuotere le catene, devo ululare attraverso i buchi delle serrature, devo passeggiare di notte, se è questo che tu intendi dire. È la mia unica ragione di esistere.»

«Non è una ragione di esistere, e lei sa benissimo di essere stato molto malvagio. La signora Umney ci ha detto, il primo giorno che siamo arrivati qui, che lei ha assassinato sua moglie.»

«Ebbene, è vero» disse il fantasma con petulanza «ma si trattava di una mera faccenda familiare, e non riguardava nessun altro.»

«Ma è male uccidere qualcuno» disse Virginia, che alle volte assumeva una dolce gravità puritana, dovuta a qualche suo antenato della Nuova Inghilterra.

«Oh, detesto la severità da due soldi dell'etica astratta! Mia moglie era un donna bruttissima, non mi inamidava mai le gorgiere come piaceva a me e non capiva niente di cucina. Ci crederesti? Una volta uccisi un daino magnifico nei boschi di Hogley e vuoi sapere come me lo fece servire a tavola? Bene, non importa, ormai è passato tanto tempo da allora,

over, and I don't think it was very nice of her brothers to starve me to death, though I did kill her.'

'Starve you to death? Oh, Mr Ghost, I mean Sir Simon, are you hungry? I have a sandwich in my case. Would you like it?'

'No, thank you, I never eat anything now; but it is very kind of you, all the same, and you are much nicer than the rest of your horrid, rude, vulgar, dishonest family.'

'Stop!' cried Virginia stamping her foot, 'it is you who are rude, and horrid, and vulgar, and as for dishonesty, you know you stole the paints out of my box to try and furbish up that ridiculous blood-stain in the library. First you took all my reds, including the vermilion, and I couldn't do any more sunsets, then you took the emerald-green and the chrome-yellow, and finally I had nothing left but indigo and Chinese white, and could only do moonlight scenes, which are always depressing to look at, and not at all easy to paint. I never told on you, though I was very much annoyed, and it was most ridiculous, the whole thing; for who ever heard of emerald-green blood?'

'Well, really,' said the Ghost, rather meekly, 'what was I to do? It is a very difficult thing to get real blood nowadays, and, as your brother began it all with his Paragon Detergent, I certainly saw no reason why I should not have your paints. As for colour, that is always a matter of taste: the Cantervilles have blue blood, for instance, the very bluest in England; but I know you Americans don't care for things of this kind.'

'You know nothing about it, and the best thing you can do is to emigrate and improve your mind. My

ma non fu carino da parte dei suoi fratelli farmi morire di fame, anche se l'avevo uccisa io.»

«L'hanno fatta morire di fame? Oh, signor fantasma, voglio dire Sir Simon, ha forse voglia di uno spuntino? Ho un panino nella borsa, lo gradirebbe?»

«No, grazie, ormai non mangio più, ma è stato comunque un pensiero molto gentile da parte tua. Tu sei molto più simpatica di tutta la tua orrenda, villana, volgare e disonesta famiglia.»

«Basta!» gridò Virginia, pestando il piede. «È lei a essere volgare, e orrendo, e villano! E per quel che concerne la disonestà, ebbene, lei sa benissimo di aver rubato i colori della mia scatola nel tentativo di ridipingere quella ridicola macchia di sangue nella biblioteca. Prima s'è preso tutti i rossi, incluso il vermiglio, e così non ho più potuto dipingere tramonti, poi s'è preso il verde smeraldo e il giallo di cromo, e alla fine mi sono rimasti solo l'indaco e il bianco di Cina, e perciò non ho potuto fare che scene al chiaro di luna che sono sempre melanconiche da contemplare e nient'affatto facili da dipingere. Non ho mai fatto la spia, per quanto fossi molto seccata e benché l'intera faccenda sembrasse una cosa assai ridicola... voglio dire, chi ha mai sentito parlare di sangue verde smeraldo?»

«Ebbene, in verità» replicò il fantasma in tono mite «cos'altro potevo fare? Non è certo facile procurarsi del sangue vero al giorno d'oggi. E, dato che tuo fratello aveva cominciato lui con il suo Impareggiabile Detergente, non vedevo perché dovessi trattenermi dall'usare i tuoi colori. E, quanto al colore, è solo una questione di gusto. I Canterville, per esempio, hanno sangue blu, il più blu d'Inghilterra, ma lo so che voi americani non avete nessun interesse per queste cose.»

«Lei non ne sa niente, e la cosa migliore che può fare è emigrare e farsi una cultura. Mio padre sareb-

father will be only too happy to give you a free passage, and though there is a heavy duty on spirits of every kind, there will be no difficulty about the Custom House, as the officers are all Democrats. Once in New York, you are sure to be a great success. I know lots of people there who would give a hundred thousand dollars to have a grandfather, and much more than that to have a family ghost.'

'I don't think I should like America.'

'I suppose because we have no ruins and no curiosities,' said Virginia satirically.

'No ruins! no curiosities!' answered the Ghost; 'you have your navy and your manners.'

'Good evening; I will go and ask papa to get the twins an extra week's holiday.'

'Please don't go, Miss Virginia,' he cried; 'I am so lonely and so unhappy, and I really don't know what to do. I want to go to sleep and I cannot.'

'That's quite absurd! You have merely to go to bed and blow out the candle. It is very difficult sometimes to keep awake, especially at church, but there is no difficulty at all about sleeping. Why, even babies know how to do that, and they are not very clever.'

'I have not slept for three hundred years,' he said sadly, and Virginia's beautiful blue eyes opened in wonder; 'for three hundred years I have not slept, and I am so tired.'

Virginia grew quite grave, and her little lips trembled like rose-leaves. She came towards him, and kneeling down at his side, looked up into his old withered face.

'Poor, poor Ghost,' she murmured; 'have you no place where you can sleep?'

'Far away beyond the pinewoods,' he answered, in a low dreamy voice, 'there is a little garden. There

be più che lieto di offrirle un viaggio gratis in America, e benché lì vi siano tasse forti su ogni tipo di spirito, non incontrerà problemi alla dogana giacché i funzionari sono tutti democratici. Una volta giunto a New York, otterrà senz'altro un grande successo. Conosco centinaia di persone che darebbero centomila dollari per avere un nonno, e molto di più per avere un fantasma in famiglia.»

«Non credo che l'America mi piacerebbe.»

«Perché non abbiamo rovine o curiosità?» disse Virginia, con sarcasmo.

«Né rovine né curiosità!» replicò il fantasma. «E allora che cos'altro sono la vostra flotta e i vostri modi?»

«Buona sera. Andrò subito da papà per chiedergli di concedere ai gemelli una settimana in più di vacanze.»

«Virginia» gridò il fantasma «ti prego, non andartene via. Mi sento così solo e così misero qui, non so cosa fare. Cerco il sonno, e non posso dormire.»

«Che assurdità! Non deve fare altro che coricarsi e spegnere la candela. È talvolta difficile rimanere svegli, specialmente in chiesa, ma dormire non lo è affatto. Persino i neonati lo sanno e non è che siano molto intelligenti.»

«Non dormo da trecento anni» disse lui, con aria triste, e i begli occhi blu di Virginia si spalancarono dalla meraviglia. «Da trecento anni non dormo, e mi sento così stanco!»

Virginia diventò molto seria e le sue labbra tremarono come petali di rosa. Si avvicinò a lui e, inginocchiandoglisi accanto, guardò il suo viso vecchio e avvizzito.

«Povero, povero fantasma» sussurrò «non hai un posto dove andare a dormire?»

«Al di là del bosco dei pini» rispose lui con voce sommessa e sognante «si trova un piccolo giardino.

the grass grows long and deep, there are the great white stars of the hemlock flower, there the nightingale sings all night long. All night long he sings, and the cold, crystal moon looks down, and the yew-tree spreads out its giant arms over the sleepers.'

Virginia's eyes grew dim with tears, and she hid her face in her hands.

'You mean the Garden of Death,' she whispered.

'Yes, Death. Death must be so beautiful. To lie in the soft brown earth, with the grasses waving above one's head, and listen to silence. To have no yesterday, and no to-morrow. To forget time, to forgive life, to be at peace. You can help me. You can open for me the portals of Death's house, for Love is always with you, and Love is stronger than Death is.'

Virginia trembled, a cold shudder ran through her, and for a few moments there was silence. She felt as if she was in a terrible dream.

Then the Ghost spoke again, and his voice sounded like the sighing of the wind.

'Have you ever read the old prophecy on the library window?'

'Oh, often,' cried the little girl, looking up; 'I know it quite well. It is painted in curious black letters, and it is difficult to read. There are only six lines:

> When a golden girl can win
> Prayer from out the lips of sin,
> When the barren almond bears,
> And a little child gives away its tears,

Lì l'erba cresce alta e rigogliosa, lì fioriscono le stelle bianche della cicuta e lì l'usignolo canta tutta la notte. Tutta la notte canta, e la fredda luna di cristallo guarda il giardino, e il tasso tende i rami giganteschi per abbracciare chi vi si addormenta.»

Gli occhi di Virginia si riempirono di lacrime e lei si nascose il viso tra le mani.

«Stai parlando del Giardino della morte» bisbigliò.

«Sì, la morte. La morte deve essere così bella. Riposare sotto la soffice terra bruna, con l'erba che ti ondeggia sopra la testa, e ascoltare il silenzio. Non avere passato, né futuro. Dimenticare il tempo, perdonare alla vita e raggiungere finalmente la pace. Tu puoi aiutarmi, puoi aprire per me i portali della Casa della morte, poiché l'amore ti accompagna sempre e l'amore è più forte della morte.»

Virginia tremò, un brivido freddo l'attraversò tutta e per qualche minuto regnò il silenzio. Si sentiva smarrita in un sogno terribile.

Poi il fantasma parlò di nuovo, e la sua voce era simile al bisbiglio del vento.

«Hai mai letto la vecchia profezia scritta sulla finestra della biblioteca?»

«Sì, spesso» gridò la ragazzina, guardando in su. «La conosco bene. È dipinta in strane lettere nere ed è così difficile a leggersi. Consiste di sole sei righe:

> Se una ragazza d'oro riuscirà a strappare
> Una preghiera dalle labbra di un peccatore,
> Se lo sterile mandorlo darà il suo frutto,
> E se una fanciulla* donerà le sue lacrime,

* L'originale inglese, «*little child*» con l'aggettivo («*its*») accordato al neutro, indica senza possibilità di equivoci un bambino (o una bambina) molto piccolo, un infante; ma dal momento che le parole successive del fantasma riferiscono l'espressione a Virginia, la traduzione «fanciulla» è parsa più aderente allo spirito del testo.

Then shall all the house be still
And peace come to Canterville.

But I don't know what they mean.'

'They mean,' he said sadly, 'that you must weep with me for my sins, because I have no tears, and pray with me for my soul, because I have no faith, and then, if you have always been sweet, and good, and gentle, the Angel of Death will have mercy on me. You will see fearful shapes in darkness, and wicked voices will whisper in your ear, but they will not harm you, for against the purity of a little child the powers of Hell cannot prevail.'

Virginia made no answer, and the Ghost wrung his hands in wild despair as he looked down at her bowed golden head. Suddenly she stood up, very pale, and with a strange light in her eyes. 'I am not afraid,' she said firmly, 'and I will ask the Angel to have mercy on you.'

He rose from his seat with a faint cry of joy, and taking her hand bent over it with old-fashioned grace and kissed it. His fingers were as cold as ice, and his lips burned like fire, but Virginia did not falter, as he led her across the dusky room. On the faded green tapestry were broidered little huntsmen. They blew their tasselled horns and with their tiny hands waved to her to go back. 'Go back! little Virginia,' they cried, 'go back!' but the Ghost clutched her hand more tightly, and she shut her eyes against them. Horrible animals with lizard tails, and goggle eyes, blinked at her from the carven chimney-piece, and murmured 'Beware! little Virginia, beware! we may never see you again,' but the Ghost glided on more swiftly, and Virginia did not listen. When they

Solo allora l'intera casa potrà riposare
E la pace discenderà su Canterville.

Ma non le capisco.»

«Quelle sei righe vogliono dire» sospirò il fantasma «che dovrai piangere con me per i miei peccati poiché io non ho lacrime, e dovrai pregare con me per l'anima mia, poiché io non ho fede, e poi, se sarai stata sempre dolce, e buona, e gentile, l'Angelo della morte avrà pietà di me. Vedrai figure tremende nelle tenebre, e voci malvagie ti sussurreranno nell'orecchio, ma non ti faranno del male, poiché le forze dell'Inferno non possono sconfiggere la purezza di una fanciulla.»

Virginia non rispose, e il fantasma si torceva le mani, disperato, mentre osservava la sua dorata testa china. Improvvisamente lei si alzò, pallida in viso, e con una strana luce negli occhi. «Non ho paura» disse con fermezza «e chiederò all'Angelo di avere pietà di te.»

Egli si alzò con un grido debole di gioia, le prese la mano e, inchinandosi, gliela baciò con la grazia dei tempi andati. Le sue dita erano fredde come il ghiaccio e le sue labbra bruciavano come il fuoco, ma Virginia non vacillò mentre egli la conduceva attraverso la stanza in penombra. Sugli arazzi d'un verde sbiadito erano ricamati minuscoli cacciatori. Suonavano i loro corni ornati di fiocchi e con le piccole mani le intimavano di tornare indietro. «Indietro! Piccola Virginia!» gridavano. «Torna indietro!» ma il fantasma le strinse la mano con maggior forza e lei chiuse gli occhi per non vederli. Animali orrendi con le code da lucertola e gli occhi da rospo la fissavano dal camino scolpito mormorando: «Attenzione! Piccola Virginia, fai attenzione! Potremmo non vederti più» ma il fantasma scivolò via ancora più velocemente, e Virginia non diede loro ascolto. Quando

reached the end of the room he stopped, and muttered some words she could not understand. She opened her eyes, and saw the wall slowly fading away like a mist, and a great black cavern in front of her. A bitter cold wind swept round them, and she felt something pulling at her dress. 'Quick, quick,' cried the Ghost, or it will be too late,' and, in a moment, the wainscotting had closed behind them, and the Tapestry Chamber was empty.

VI

About ten minutes later, the bell rang for tea, and, as Virginia did not come down, Mrs Otis sent up one of the footmen to tell her. After a little time he returned and said that he could not find Miss Virginia anywhere. As she was in the habit of going out to the garden every evening to get flowers for the dinner-table, Mrs Otis was not at all alarmed at first, but when six o'clock struck, and Virginia did not appear, she became really agitated, and sent the boys out to look for her, while she herself and Mr Otis searched every room in the house. At half-past six the boys came back and said that they could find no trace of their sister anywhere. They were all now in the greatest state of excitement, and did not know what to do, when Mr Otis suddenly remembered that, some few days before, he had given a band of gipsies permission to camp in the park. He accordingly at once set off for Blackfell Hollow, where he knew they were, accompanied by his eldest son and two of the farm-servants. The little Duke of Cheshire, who was perfectly frantic with anxiety, begged hard to be allowed to go too, but Mr Otis would not allow him, as he

giunsero in fondo alla sala, egli si fermò e borbottò alcune parole che lei non comprese. Aprì gli occhi, e vide il muro dileguarsi lentamente come se fosse fatto di nebbia, e si trovò davanti a una immensa caverna nera. Un vento sferzante soffiava intorno a loro e lei sentì che qualcuno le tirava il vestito. «Presto, presto» gridò il fantasma «altrimenti non faremo in tempo» e, un momento dopo, i pannelli di legno si chiusero dietro di loro e la Sala degli Arazzi rimase vuota.

VI

Circa dieci minuti dopo suonò la campana per il tè e, poiché Virginia tardava a scendere, la signora Otis mandò un domestico al piano di sopra a chiamarla. Dopo un po' l'uomo tornò e disse che non era riuscito a trovare la signorina Virginia da nessuna parte. Dal momento che la fanciulla aveva l'abitudine di scendere ogni sera all'ora di cena in giardino a cogliere fiori per la tavola, la signora Otis da principio non si allarmò ma poi, quando suonarono le sei e Virginia non era ancora comparsa, cominciò ad agitarsi e mandò i ragazzi a cercarla in giardino mentre lei e il marito ispezionavano ogni stanza della casa. I ragazzi tornarono alle sei e mezzo dicendo di non aver trovato la benché minima traccia della sorella. Adesso erano tutti in uno stato di grande agitazione e non sapevano cosa fare; poi il signor Otis si ricordò che qualche giorno prima aveva dato il permesso ad alcuni zingari di accamparsi nel parco. Di conseguenza partì subito in direzione di Blackfell Hollow, dove sapeva di trovarli, facendosi scortare dal figlio maggiore e da due contadini. Il giovane duca di Cheshire, sconvolto dall'ansia, implorò ardentemente di accompagnarli, ma il signor Otis non glielo permise,

was afraid there might be a scuffle. On arriving at the spot, however, he found that the gipsies had gone, and it was evident that their departure had been rather sudden, as the fire was still burning, and some plates were lying on the grass. Having sent off Washington and the two men to scour the district, he ran home, and despatched telegrams to all the police inspectors in the country, telling them to look out for a little girl who had been kidnapped by tramps or gipsies. He then ordered his horse to be brought round, and, after insisting on his wife and the three boys sitting down to dinner, rode off down the Ascot road with a groom. He had hardly, however, gone a couple of miles, when he heard somebody galloping after him, and, looking round, saw the little Duke coming up on his pony, with his face very flushed and no hat. 'I'm awfully sorry, Mr Otis,' gasped out the boy, 'but I can't eat any dinner as long as Virginia is lost. Please, don't be angry with me; if you had let us be engaged last year, there would never have been all this trouble. You won't send me back, will you? I can't go! I won't go!'

The Minister could not help smiling at the handsome young scapegrace, and was a good deal touched at his devotion to Virginia, so leaning down from his horse, he patted him kindly on the shoulders, and said, 'Well, Cecil, if you won't go back I suppose you must come with me, but I must get you a hat at Ascot.'

'Oh, bother my hat! I want Virginia!' cried the little Duke, laughing, and they galloped on to the railway station. There Mr Otis inquired of the station-master if any one answering to the description of Virginia had been seen on the platform, but could get no news of her. The station-master, however, wired up and down the line, and assured him

poiché temeva che ci potesse essere una rissa. Una volta giunti sul luogo, tuttavia, scoprì che gli zingari erano già partiti, ed era evidente che la loro partenza doveva essere stata brusca, perché il fuoco era ancora acceso e alcuni piatti erano stati abbandonati sull'erba. Dopo aver mandato Washington insieme agli altri due uomini a perlustrare i dintorni, il signor Otis ritornò a casa, e da lì indirizzò telegrammi a tutti gli ispettori di polizia del paese, avvisandoli di cercare una fanciulla rapita dagli zingari o dai vagabondi. Poi si fece sellare il cavallo e, dopo essere riuscito a convincere la moglie e i tre ragazzi a mettersi a tavola, cavalcò sulla strada per Ascot insieme a uno stalliere. Aveva percorso soltanto un paio di miglia quando avvertì che qualcuno lo stava inseguendo a cavallo: era il giovane duca di Cheshire sul suo pony, col viso arrossato e a capo scoperto. «Mi dispiace molto» disse il ragazzo ansimando «ma non posso cenare finché Virginia è smarrita. La prego, non si arrabbi, ma se avesse permesso che ci fidanzassimo l'anno scorso, questo guaio non sarebbe successo. Non mi farà tornare indietro, vero? Non posso! Non voglio!»

Il ministro plenipotenziario non poté fare a meno di sorridere al bel giovane ribelle e fu davvero commosso dalla sua devozione per Virginia, perciò sporgendosi dalla sella gli batté cordialmente sulla spalla, dicendogli: «Ebbene, Cecil, se non vuoi tornare indietro, significa allora che verrai con me, ma bisogna che ti compri un cappello ad Ascot.»

«Al diavolo il cappello! Voglio Virginia!» gridò il giovane duca ridendo, e insieme si avviarono al galoppo verso la stazione ferroviaria. Il signor Otis s'informò presso il capostazione se avesse visto qualcuno che rispondeva alla descrizione di Virginia, ma non ebbe da lui alcuna notizia. Il capostazione, tuttavia, telegrafò a tutte le stazioni lungo la linea, nei

that a strict watch would be kept for her, and, after having bought a hat for the little Duke from a linen-draper, who was just putting up his shutters, Mr Otis rode off to Bexley, a village about four miles away, which he was told was a well-known haunt of the gipsies, as there was a large common next to it. Here they roused up the rural policeman, but could get no information from him, and, after riding all over the common, they turned their horses' heads homewards, and reached the Chase about eleven o'clock, dead-tired and almost heart-broken. They found Washington and the twins waiting for them at the gatehouse with lanterns, as the avenue was very dark. Not the slightest trace of Virginia had been discovered. The gipsies had been caught on Brockley meadows, but she was not with them, and they had explained their sudden departure by saying that they had mistaken the date of Chorton Fair, and had gone off in a hurry for fear they might be late. Indeed, they had been quite distressed at hearing of Virginia's disappearance, as they were very grateful to Mr Otis for having allowed them to camp in his park, and four of their number had stayed behind to help in the search. The carp-pond had been dragged, and the whole Chase thoroughly gone over, but without any result. It was evident that, for that night at any rate, Virginia was lost to them; and it was in a state of the deepest depression that Mr Otis and the boys walked up to the house, the groom following behind with the two horses and the pony. In the hall they found a group of frightened servants, and lying on a sofa in the library was poor Mrs Otis, almost out of her mind with terror and anxiety, and having her forehead bathed with eau-de-cologne by the old housekeeper. Mr Otis at once insisted on her having something to eat, and ordered up supper for the whole party. It was a melancholy meal, as hardly any

due sensi, e gli promise che avrebbe esercitato una sorveglianza rigorosa. Dopo aver comprato il cappello per il giovane duca in un negozio di merceria, che proprio allora stava per chiudere, il signor Otis proseguì verso Bexley, villaggio che era a circa quattro miglia di distanza e che gli avevano detto essere frequentato dagli zingari, giacché nei paraggi vi era un terreno libero. Qui svegliarono la guardia campestre, ma non riuscirono a ottenere alcuna informazione e così, dopo aver traversato il grande prato, tornarono a casa, giungendo a Canterville Chase alle undici, molto stanchi e scoraggiati. Trovarono Washington e i gemelli ad attenderli al cancello con delle lanterne, essendo il viale del tutto buio. Nessuno aveva trovato la minima traccia di Virginia. Gli zingari erano stati sorpresi in un campo a Brockley, ma la fanciulla non era con loro; avevano spiegato la loro partenza improvvisa dicendo di essersi sbagliati sulla data della Fiera di Chorton e di aver quindi lasciato il posto in gran fretta, per paura di arrivarvi tardi. Anzi, erano rimasti molto dispiaciuti nel sentire della scomparsa di Virginia, giacché erano assai grati al signor Otis per il permesso di accamparsi nel suo parco e quattro di loro si erano fermati per aiutarli nella ricerca. Era stato scandagliato il laghetto delle carpe, e l'intero castello perlustrato, senza ottenere alcun risultato. Era chiaro che, almeno per quella notte, Virginia non sarebbe stata trovata; e fu in uno stato di profonda depressione che il signor Otis e i ragazzi tornarono a casa, mentre lo stalliere li seguiva con i due cavalli e il pony. Nel vestibolo trovarono un gruppo di domestici spaventati, e nella biblioteca la povera signora Otis era sdraiata sul divano, fuori di sé dal terrore e dall'ansia, mentre la vecchia governante le inumidiva di tanto in tanto la fronte con dell'*eau de Cologne*. Il signor Otis insistette perché mangiasse un boccone, e ordinò la cena per tutti. Fu un

one spoke, and even the twins were awestruck and subdued, as they were very fond of their sister. When they had finished, Mr Otis, in spite of the entreaties of the little Duke, ordered them all to bed, saying that nothing more could be done that night, and that he would telegraph in the morning to Scotland Yard for some detectives to be sent down immediately. Just as they were passing out of the dining-room, midnight began to boom from the clock tower, and when the last stroke sounded they heard a crash and a sudden shrill cry; a dreadful peal of thunder shook the house, a strain of unearthly music floated through the air, a panel at the top of the staircase flew back with a loud noise, and out on the landing, looking very pale and white, with a little casket in her hand, stepped Virginia. In a moment they had all rushed up to her. Mrs Otis clasped her passionately in her arms, the Duke smothered her with violent kisses, and the twins executed a wild wardance round the group.

'Good heavens! child, where have you been?' said Mr Otis, rather angrily, thinking that she had been playing some foolish trick on them. 'Cecil and I have been riding all over the country looking for you, and your mother has been frightened to death. You must never play these practical jokes any more.'

'Except on the Ghost! except on the Ghost!' shrieked the twins, as they capered about.

'My own darling, thank God you are found; you must never leave my side again,' murmured Mrs Otis, as she kissed the trembling child, and smoothed the tangled gold of her hair.

'Papa,' said Virginia quietly, 'I have been with the Ghost. He is dead, and you must come and see him. He had been very wicked, but he was really sorry for all that he had done, and he gave me this box of beautiful jewels before he died.'

pasto malinconico, giacché nessuno se la sentiva di conversare, e persino i gemelli erano abbattuti e taciturni, giacché erano molto affezionati alla sorella. Finita la cena, il signor Otis, nonostante le suppliche del giovane duca, mandò tutti a letto, affermando che quella notte non c'era nulla da fare, e che avrebbe telegrafato l'indomani mattina a Scotland Yard perché inviassero al più presto possibile degli investigatori. Al momento in cui stavano uscendo dalla sala da pranzo, l'orologio della torre suonò la mezzanotte e, proprio all'ultimo tocco, udirono un tonfo seguito da un grido acuto; un tremendo tuono scosse la casa, una musica soprannaturale echeggiò nell'aria, un passaggio segreto in cima alle scale si spalancò rumorosamente, e sul pianerottolo apparve Virginia, molto bianca e pallida e con un piccolo scrigno in mano. Tutti si precipitarono verso di lei. La signora Otis la strinse appassionatamente fra le braccia, il duca la soffocò di baci e i gemelli eseguirono una folle danza di guerra intorno al gruppo.

«Santo cielo! Bambina mia, dove ti eri cacciata?» disse il signor Otis, piuttosto adirato, pensando che avesse voluto fare loro un brutto scherzo. «Cecil e io abbiamo percorso tutta la campagna per cercarti, e tua madre è quasi morta di spavento. Non devi più giocare scherzi simili.»

«Solo al fantasma! Solo al fantasma!» strillarono i gemelli, mentre saltellavano dappertutto.

«Tesoro mio! Grazie a Dio, ti abbiamo ritrovata! Non ti devi più allontanare da me» mormorò la signora Otis, mentre baciava la fanciulla tutta tremante e le ravviava i biondi capelli arruffati.

«Papà» disse allora Virginia con calma «sono stata col fantasma. Ora è morto davvero e devi venire a vederlo. È stato molto cattivo ma si è sinceramente pentito di tutto quello che ha commesso, e prima di morire mi ha dato questa scatola piena di magnifici gioielli.»

The whole family gazed at her in mute amazement, but she was quite grave and serious; and, turning round, she led them through the opening in the wainscoting down a narrow secret corridor, Washington following with a lighted candle, which he had caught up from the table. Finally, they came to a great oak door, studded with rusty nails. When Virginia touched it, it swung back on its heavy hinges, and they found themselves in a little low room, with a vaulted ceiling, and one tiny grated window. Imbedded in the wall was a huge iron ring, and chained to it was a gaunt skeleton, that was stretched out at full length on the stone floor, and seemed to be trying to grasp with its long fleshless fingers and old-fashioned trencher and ewer, that were placed just out of its reach. The jug had evidently been once filled with water, as it was covered inside with green mould. There was nothing on the trencher but a pile of dust. Virginia knelt down beside the skeleton, and, folding her little hands together, began to pray silently, while the rest of the party looked on in wonder at the terrible tragedy whose secret was now disclosed to them.

'Hallo!' suddenly exclaimed one of the twins, who had been looking out of the window to try and discover in what wing of the house the room was situated. 'Hallo! the old withered almond-tree has blossomed. I can see the flowers quite plainly in the moonlight.'

'God has forgiven him,' said Virginia gravely, as she rose to her feet, and a beautiful light seemed to illumine her face.

'What an angel you are!' cried the young Duke, and he put his arm round her neck, and kissed her.

L'intera famiglia la guardò sbalordita e in silenzio, ma lei rimase calma e seria e, volgendosi, li condusse attraverso l'apertura nei pannelli di legno, lungo uno stretto passaggio segreto mentre Washington li seguiva con una candela accesa, che aveva preso dal tavolo. Giunsero infine davanti a una grande porta di quercia, ornata di chiodi arrugginiti. Virginia, sfiorandola con la mano, la fece girare sui pesanti cardini, e si trovarono in una stanza stretta e bassa dal soffitto a volta e con una piccola finestra a grata. Un grande anello di ferro era conficcato nel muro e all'anello era incatenato un cupo scheletro disteso sul pavimento di pietra come se stesse cercando di raggiungere con le lunghe dita scarnite un piatto di legno e una brocca di foggia antica posti fuori dalla sua portata. La brocca, evidentemente, aveva una volta contenuto dell'acqua, poiché era interamente coperta di muffa verde. Non c'era nulla sul piatto, a parte un mucchio di polvere. Virginia s'inginocchiò accanto allo scheletro e, giungendo le manine, cominciò a pregare in silenzio, mentre gli altri osservavano stupiti la terribile tragedia il cui segreto s'era loro rivelato.

«Ehi!» esclamò improvvisamente uno dei gemelli, che aveva guardato fuori dalla finestra per cercare di scoprire in quale ala del castello si trovasse quella stanza. «Guardate! È fiorito il vecchio mandorlo che s'era seccato. Riesco a vederne bene i fiori al chiaro di luna.»

«Dio gli ha perdonato» disse Virginia in tono solenne, alzandosi, e una luce dolce sembrava rischiararle il volto.

«Tu sei un angelo!» gridò il giovane duca e, gettandole le braccia al collo, la baciò.

VII

Four days after these curious incidents a funeral started from Canterville Chase at about eleven o'clock at night. The hearse was drawn by eight black horses, each of which carried on its head a great tuft of nodding ostrich-plumes, and the leaden coffin was covered by a rich purple pall, on which was embroidered in gold the Canterville coat-of-arms. By the side of the hearse and the coaches walked the servants with lighted torches, and the whole procession was wonderfully impressive. Lord Canterville was the chief mourner, having come up specially from Wales to attend the funeral, and sat in the first carriage along with little Virginia. Then came the United States Minister and his wife, then Washington and the three boys, and in the last carriage was Mrs Umney. It was generally felt that, as she had been frightened by the ghost for more than fifty years of her life, she had a right to see the last of him. A deep grave had been dug in the corner of the churchyard, just under the old yew-tree, and the service was read in the most impressive manner by the Rev. Augustus Dampier. When the ceremony was over, the servants, according to an old custom observed in the Canterville family, extinguished their torches, and, as the coffin was being lowered into the grave, Virginia stepped forward, and laid on it a large cross made of white and pink almond-blossoms. As she did so, the moon came out from behind a cloud, and flooded with its silent silver the little churchyard, and from a distant copse a nightingale began to sing. She thought of the ghost's description of the Garden of Death, her eyes became dim with tears, and she hardly spoke a word during the drive home.

VII

Quattro giorni dopo questi insoliti eventi, verso le 11 di sera, un corteo funebre usciva da Canterville Chase. Il carro era trainato da otto cavalli neri, ciascuno dei quali portava sulla testa un grande ciuffo di svolazzanti piume di struzzo, e la bara di piombo era coperta da un ricco drappo color porpora, sul quale era ricamato in oro lo stemma dei Canterville. Ai lati del carro funebre e delle carrozze camminavano i domestici con le torce accese; l'intero corteo aveva un'aria davvero maestosa. Lord Canterville veniva per primo, essendo giunto appositamente dal Galles per partecipare al funerale, ed era seduto nella prima carrozza insieme alla piccola Virginia. Dopo veniva il ministro plenipotenziario degli Stati Uniti con la moglie, poi Washington e i tre ragazzi, mentre nell'ultima carrozza stava la signora Umney. Tutti avevano pensato che, essendo stata terrorizzata per più di cinquant'anni dal fantasma, aveva acquisito il diritto di accompagnarlo alla sua ultima dimora. Una fossa profonda era stata scavata in un angolo del cimitero, proprio sotto il vecchio tasso, e il servizio funebre venne celebrato nel modo più solenne del reverendo Augustus Dampier. Quando la cerimonia finì, i domestici spensero le torce, secondo un'antica usanza della famiglia Canterville e, mentre la bara veniva calata nella tomba, Virginia si fece avanti e vi appoggiò sopra una grande croce fatta di fiori di mandorlo bianchi e rosa. In quel preciso momento la luna spuntò da dietro una nuvola, inondando il piccolo cimitero con la sua luce argentata, e da un boschetto lontano giunse il canto di un usignolo. Virginia ricordò la descrizione che il fantasma aveva fatto del Giardino della morte; i suoi occhi si riempirono di lacrime, e durante il ritorno a casa non parlò.

The next morning, before Lord Canterville went up to town, Mr Otis had an interview with him on the subject of the jewels the ghost had given to Virginia. They were perfectly magnificent, especially a certain ruby necklace with old Venetian setting, which was really a superb specimen of sixteenth-century work, and their value was so great that Mr Otis felt considerable scruples about allowing his daughter to accept them.

'My lord,' he said, 'I know that in this country mortmain is held to apply to trinkets as well as to land, and it is quite clear to me that these jewels are, or should be, heirlooms in your family. I must beg you, accordingly, to take them to London with you, and to regard them simply as a portion of your property which has been restored to you under certain strange conditions. As for my daughter, she is merely a child, and has as yet, I am glad to say, but little interest in such appurtenances of idel luxury. I am also informed by Mrs Otis, who, I may say, is no mean authority upon Art – having had the privilege of spending several winters in Boston when she was a girl – that these gems are of great monetary worth, and if offered for sale would fetch a tall price. Under these circumstances, Lord Canterville, I feel sure that you will recognise how impossible it would be for me to allow them to remain in the possession of any member of my family; and, indeed, all such vain gauds and toys, however suitable or necessary to the dignity of the British aristocracy, would be completely out of place among those who have been brought up on the severe, and I believe immortal, principles of Republican simplicity. Perhaps I should mention that Virginia is very anxious that you should allow her to retain the box, as a memento of your unfortunate but misguided ancestor. As it is extremely old, and consequently a good deal out of repair, you may

Il mattino seguente, prima che Lord Canterville tornasse in città, il signor Otis ebbe un colloquio con lui a proposito dei gioielli dati dal fantasma a Virginia. Erano veramente magnifici, soprattutto la collana di rubini con una montatura alla veneziana, un'opera superba del sedicesimo secolo, e il loro valore complessivo era così grande che il signor Otis si faceva molti scrupoli a permettere che sua figlia li accettasse.

«Mio caro Lord» disse «so che in questo paese il diritto di manomorta si applica alle gioie oltre che ai terreni, e mi pare evidente che questi gioielli sono, o dovrebbero essere, eredità della sua famiglia. La prego, di conseguenza, di portarli con sé a Londra, e di considerarli come parte della sua proprietà restituitale in certe strane circostanze. Quanto a mia figlia, non è che una bambina, e fino a ora, sono lieto di aggiungere, non ha mostrato alcun interesse per simili vani fronzoli di lusso. La signora Otis, inoltre, mi ha informato – e debbo dire che nel campo dell'arte è assai competente, avendo avuto la fortuna di passare più di un inverno a Boston quando era giovanetta – che queste pietre hanno un grande valore e che potrebbero essere poste in vendita a un prezzo altissimo. Date le circostanze, Lord Canterville, sono sicuro che capirà quanto mi sia impossibile permettere di lasciarle nelle mani di un membro della mia famiglia; anzi, tutti questi inutili gingilli e balocchi, per quanto adatti o necessari alla dignità dell'aristocrazia britannica, sarebbero del tutto fuori posto tra coloro che sono stati allevati seguendo i severi, e io credo immortali, principi della semplicità repubblicana. Forse dovrei dire che Virginia desidera molto che lei le permetta di conservare lo scrigno come ricordo del suo sventurato ma scapestrato antenato. Poiché è estremamente antico, e conseguentemente molto sciupato, forse po-

perhaps think fit to comply with her request. For my own part, I confess I am a good deal surprised to find a child of mine expressing sympathy with mediaevalism in any form, and can only account for it by the fact that Virginia was born in one of your London suburbs shortly after Mrs Otis had returned from a trip to Athens.'

Lord Canterville listened very gravely to the worthy Minister's speech, pulling his grey moustache now and then to hide an involuntary smile, and when Mr Otis had ended, he shook him cordially by the hand, and said, 'My dear sir, your charming little daughter rendered my unlucky ancestor, Sir Simon, a very important service, and I and my family are much indebted to her for her marvellous courage and pluck. The jewels are clearly hers, and, egad, I believe that if I were heartless enough to take them from her, the wicked old fellow would be out of his grave in a fortnight, leading me the devil of a life. As for their being heirlooms, nothing is an heirloom that is not so mentioned in a will or legal document, and the existence of these jewels has been quite unknown. I assure you I have no more claim on them than your butler, and when Miss Virginia grows up I daresay she will be pleased to have pretty things to wear. Besides, you forget, Mr Otis, that you took the furniture and the ghost at a valuation and anything that belonged to the ghost passed at once into your possession, as, whatever activity Sir Simon may have shown in the corridor at night, in point of law he was really dead, and you acquired his property by purchase.'

Mr Otis was a good deal distressed at Lord Canterville's refusal, and begged him to reconsider his deci-

trebbe ritenere giusto aderire alla sua richiesta. Da parte mia confesso di essere sorpreso che uno dei miei figli dimostri qualche simpatia verso una qualsiasi espressione del Medioevo, e lo posso spiegare solo con il fatto che Virginia è nata in un sobborgo di Londra poco dopo il ritorno della signora Otis da un viaggio ad Atene.»

Lord Canterville ascoltò con grande attenzione il discorso del ministro plenipotenziario, lisciandosi di tanto in tanto i baffi grigi per nascondere un involontario sorriso e, quando il signor Otis ebbe finito, gli strinse calorosamente la mano dicendogli: «Mio caro signore, la sua incantevole figliola ha reso al mio sfortunato antenato, Sir Simon, un servizio molto importante, e io e la mia famiglia le siamo assai riconoscenti per il suo meraviglioso ardire e coraggio. I gioielli appartengono a lei, senza ombra di dubbio, e, in fede mia, credo che se fossi così crudele da toglierglieli, quel vecchio malvagio sortirebbe dalla tomba in men che non si dica, per rendermi la vita un inferno. Quanto al fatto che i gioielli siano beni ereditari della mia famiglia, non si può considerare bene ereditario qualcosa che non sia citato come tale in un testamento o in un documento legale, e l'esistenza di quei gioielli è rimasta completamente ignorata. Le assicuro che ne ho diritto io quanto ne ha il suo maggiordomo, e quando la signorina Virginia sarà cresciuta, credo che sarà ben felice di possedere belle cose da indossare. Inoltre lei dimentica, signor Otis, di aver comprato la mobilia e il fantasma tutto in blocco; qualsiasi cosa sia appartenuta al fantasma è passata automaticamente nelle sue mani, poiché, nonostante le attività che Sir Simon esercitava per i corridoi di notte, egli in realtà era morto dal punto di vista legale, e lei ha avuto la sua proprietà per diritto di regolare acquisto.»

Il signor Otis rimase molto sconcertato dal rifiuto di Lord Canterville, e lo implorò di riflettere di nuo-

sion, but the good-natured peer was quite firm, and finally induced the Minister to allow his daughter to retain the present the ghost had given her, and when, in the spring of 1890, the young Duchess of Cheshire was presented at the Queen's first drawing-room on the occasion of her marriage, her jewels were the universal theme of admiration. For Virginia received the coronet, which is the reward of all good little American girls, and was married to her boy-lover as soon as he came of age. They were both so charming, and they loved each other so much, that every one was delighted at the match, except the old Marchioness of Dumbleton, who had tried to catch the Duke for one of her seven unmarried daughters, and had given no less than three expensive dinner-parties for that purpose, and, strange to say, Mr Otis himself. Mr Otis was extremely fond of the young Duke personally, but, theoretically, he objected to titles, and, to use his own words, 'was not without apprehension lest, amid the enervating influences of a pleasure-loving aristocracy, the true principles of Republican simplicity should be forgotten.' His objections, however, were completely overruled, and I believe that when he walked up the aisle of St George's, Hanover Square, with his daughter leaning on his arm, there was not a prouder man in the whole length and breadth of England.

The Duke and Duchess, after the honeymoon was over, went down to Canterville Chase, and on the day after their arrival they walked over in the afternoon

vo sulla sua decisione, ma il leale pari non volle cedere, e alla fine indusse il ministro plenipotenziario ad accettare lo scrigno che il fantasma aveva regalato a sua figlia; e quando, nella primavera del 1890, la giovane duchessa di Cheshire fu presentata alla regina in occasione del suo matrimonio, i suoi gioielli furono oggetto di generale ammirazione. Poiché Virginia aveva ricevuto la corona nobiliare, che è il premio di tutte le buone ragazzine americane, e aveva sposato il suo giovane spasimante non appena egli era diventato maggiorenne. Erano entrambi così incantevoli, e si amavano tanto, che tutti approvarono il loro matrimonio, salvo la vecchia marchesa di Dumbleton – la quale aveva cercato di accaparrare il duca per una delle sue sette figlie da marito, e a tale scopo aveva dato niente meno che tre costosi ricevimenti – e, strano a dirsi, lo stesso signor Otis. Il signor Otis era personalmente molto affezionato al giovane duca, ma in teoria non approvava i titoli nobiliari e, per usare le sue stesse parole: "considerava non senza apprensione il rischio che, sotto la snervante influenza di una aristocrazia dedita al piacere, si dimenticassero i sani principi della semplicità repubblicana". Le sue obiezioni, tuttavia, vennero sbaragliate una dopo l'altra, e credo che quando si trovò a camminare lungo la navata della chiesa di San Giorgio,* in Hanover Square, dando il braccio alla propria figlia, non esistesse in tutta l'Inghilterra un uomo più fiero di lui.

Il duca e la duchessa, una volta tornati dalla loro luna di miele, si recarono a Canterville Chase, e l'indomani del loro arrivo, nel pomeriggio, andarono a

* La capitolazione del signor Otis è totale: nella chiesa di San Giorgio in Hanover Square avevano tradizionalmente luogo i più importanti matrimoni dell'aristocrazia.

to the lonely churchyard by the pine-woods. There had been a great deal of difficulty at first about the inscription on Sir Simon's tombstone, but finally it had been decided to engrave on it simply the initials of the old gentleman's name, and the verse from the library window. The Duchess had brought with her some lovely roses, which she strewed upon the grave, and after they had stood by it for some time they strolled into the ruined chancel of the old abbey. There the Duchess sat down on a fallen pillar, while her husband lay at her feet smoking a cigarette and looking up at her beautiful eyes. Suddenly he threw his cigarette away, took hold of her hand, and said to her, 'Virginia, a wife should have no secrets from her husband.'

'Dear Cecil! I have no secrets from you.'

'Yes, you have,' he answered, smiling, 'you have never told me what happened to you when you were locked up with the ghost.'

'I have never told any one, Cecil,' said Virginia gravely.

'I know that, but you might tell me.'

'Please don't ask me, Cecil, I cannot tell you. Poor Sir Simon! I owe him a great deal. Yes, don't laugh, Cecil, I really do. He made me see what Life is, and what Death signifies, and why Love is stronger than both.'

The Duke rose and kissed his wife lovingly.

'You can have your secret as long as I have your heart,' he murmured.

'You have always had that, Cecil.'

'And you will tell our children some day, won't you?'

Virginia blushed.

far visita alla tomba nel solitario cimitero vicino alla pineta. A suo tempo c'era stata una grande discussione a proposito dell'epigrafe da incidere sulla pietra tombale di Sir Simon, ma alla fine si era deciso di farvi scolpire solo le iniziali del vecchio gentiluomo e i versi scritti sulla finestra della biblioteca. La duchessa aveva portato delle magnifiche rose che sparse sulla tomba, presso la quale i duchi si soffermarono un po'. Quindi si diressero verso il presbiterio in rovina della vecchia abbazia. La duchessa si sedette sopra una colonna caduta, mentre il marito si sdraiò ai suoi piedi e fumò una sigaretta senza smettere di ammirare quegli occhi bellissimi. Improvvisamente gettò la sigaretta, le afferrò la mano e disse: «Virginia, una moglie non dovrebbe avere segreti per il marito».

«Ma, Cecil, caro! Io non ho nessun segreto per te.»

«Sì che ce l'hai» rispose sorridendo «non mi hai mai detto cosa ti è successo mentre eri rinchiusa insieme al fantasma.»

«Non l'ho mai detto a nessuno, Cecil» disse Virginia in tono serio.

«Lo so, ma a me lo puoi dire.»

«Te ne prego, Cecil, non me lo chiedere. Non posso dirtelo. Povero Sir Simon! Gli devo moltissimo. Sì, è vero, Cecil, e ti prego di non ridere. Mi ha fatto capire cos'è la vita, e cosa vuol dire la morte, e perché l'amore è più potente di entrambe.»

Il duca si alzò e baciò la moglie con trasporto.

«Puoi tenere stretto il tuo segreto fin quando io terrò stretto il tuo cuore» mormorò.

«Lo tieni stretto da sempre, Cecil.»

«Ma un giorno lo svelerai ai nostri bambini, vero?»

Virginia arrossì.

The Model Millionaire

A note of admiration

Unless one is wealthy there is no use in being a charming fellow. Romance is the privilege of the rich, not the profession of the unemployed. The poor should be practical and prosaic. It is better to have a permanent income than to be fascinating. These are the great truths of modern life which Hughie Erskine never realised. Poor Hughie! Intellectually, we must admit, he was not of much importance. He never said a brilliant or even an ill-natured thing in his life. But then he was wonderfully good-looking, with his crisp brown hair, his clear-cut profile, and his grey eyes. He was as popular with men as he was with women, and he had every accomplishment except that of making money. His father had bequeathed him his cavalry sword, and a *History of the Peninsular War* in fifteen volumes. Hughie hung the first over his looking-glass, put the second on a shelf between Ruff's *Guide* and Bailey's *Magazine*, and lived on two hundred a year that an old aunt allowed him. He had tried everything. He had gone on the Stock Exchange for six months; but what was a butterfly to do among bulls and bears? He had been

Il milionario modello

Nota di ammirazione

A meno che uno sia ricco, è inutile essere affascinante. Il fascino è il privilegio dei ricchi e non una professione per i disoccupati. I poveri dovrebbero essere pratici e prosaici. È meglio avere un reddito fisso che essere affascinanti. Sono queste le grandi verità della vita moderna ignorate da Hughie Erskine. Povero Hughie! Intellettualmente, debbo dire, non era davvero un gran che. In vita sua non aveva mai detto una cosa che fosse brillante o soltanto dispettosa. Era però un uomo molto bello, con i capelli castani ondulati, un profilo classico, e gli occhi grigi. Risultava simpatico sia agli uomini sia alle donne, ed era bravo in ogni cosa, salvo che nel far soldi. Il padre gli aveva lasciato in eredità la sua spada di ufficiale della cavalleria e una *Storia della Guerra Peninsulare** in quindici volumi. Hughie mise la prima sopra lo specchio e la seconda in uno scaffale, tra la «Ruff's Guide» e il «Bailey's Magazine», e viveva grazie alle duecento sterline che una vecchia zia gli passava annualmente. Aveva provato ogni specie di attività. Aveva lavorato in Borsa per sei mesi; ma come avrebbe potuto una farfalla sopravvivere tra tori e

* La guerra combattuta dall'esercito inglese, al comando di Arthur Wellington, contro l'esercito napoleonico in Spagna e Portogallo.

a tea-merchant for a little longer, but had soon tired of pekoe and souchong. Then he had tried selling dry sherry. That did not answer; the sherry was a little too dry. Ultimately he became nothing, a delightful, ineffectual young man with a perfect profile and no profession.

To make matters worse, he was in love. The girl he loved was Laura Merton, the daughter of a retired Colonel who had lost his temper and his digestion in India, and had never found either of them again. Laura adored him, and he was ready to kiss her shoe-strings. They were the handsomest couple in London, and had not a penny-piece between them. The Colonel was very fond of Hughie, but would not hear of any engagement.

'Come to me, my boy, when you have got ten thousand pounds of your own, and we will see about it,' he used to say; and Hughie looked very glum on those days, and had to go to Laura for consolation.

One morning, as he was on his way to Holland Park, where the Mertons lived, he dropped in to see a great friend of his, Alan Trevor. Trevor was a painter. Indeed, few people escape that nowadays. But he was also an artist, and artists are rather rare. Personally he was a strange rough fellow, with a freckled face and a red ragged beard. However, when he took up the brush he was a real master, and his pictures were eagerly sought after. He had been very much attracted by Hughie at first, it must be acknowledged, entirely on account of his personal charm. 'The only

orsi?* Aveva resistito un po' di più come commerciante di tè, ma si era stancato presto del *pekoe* e del *souchong*. Si era poi dato a vendere lo sherry secco, ma anche qui non gli era andata bene: lo sherry era fin troppo secco. Alla fine non fece un bel niente, e diventò un giovanotto piacevole e vacuo, con un profilo perfetto e nessun impiego.

Come se non bastasse, si era anche innamorato. La ragazza amata si chiamava Laura Merton ed era figlia di un colonnello in pensione che aveva perduto pazienza e digestione in India e non aveva più ritrovato nessuna delle due. Laura adorava il suo spasimante ed egli era pronto persino a baciarle le stringhe delle scarpette. Insieme costituivano la più bella coppia di Londra ma, fra tutt'e due, non possedevano un penny. Il colonnello era molto affezionato a Hughie ma non voleva sentir parlare di un eventuale fidanzamento.

"Se ne riparlerà, mio caro ragazzo, quando avrai racimolato diecimila sterline" soleva dirgli, e Hughie allora si sentiva molto abbattuto e doveva correre da Laura per farsi consolare.

Una mattina, mentre si dirigeva verso Holland Park, dove abitava la famiglia Merton, si fermò strada facendo a far visita a un suo caro amico, Alan Trevor. Questi faceva il pittore. E, a dire il vero, al giorno d'oggi a ben pochi riesce di non fare il pittore. Ma lui era anche un artista, e i veri artisti oggi sono rari. Aveva un aspetto strano e rozzo, con un viso pieno di lentiggini e una rossiccia barba incolta. Eppure, quando prendeva il pennello in mano, era un vero maestro e i suoi quadri erano molto ricercati. In principio, bisogna dirlo, era rimasto attratto da Hughie unicamente per il suo fascino personale. "Le

* I «tori e gli orsi» sono, nel gergo della Borsa, i rialzi e i ribassi.

people a painter should know,' he used to say, 'are people who are *bête* and beautiful, people who are an artistic pleasure to look at and an intellectual repose to talk to. Men who are dandies and women who are darlings rule the world, at least they should do so.' However, after he got to know Hughie better, he liked him quite as much for his bright buoyant spirits and his generous reckless nature, and had given him the permanent *entrée* to his studio.

When Hughie came in he found Trevor putting the finishing touches to a wonderful life-size picture of a beggar-man. The beggar himself was standing on a raised platform in a corner of the studio. He was a wizened old man, with a face like wrinkled parchment, and a most piteous expression. Over his shoulders was flung a coarse brown cloak, all tears and tatters; his thick boots were patched and cobbled, and with one hand he leant on a rough stick, while with the other he held out his battered hat for alms.

'What an amazing model!' whispered Hughie, as he shook hands with his friend.

'An amazing model?' shouted Trevor at the top of his voice; 'I should think so! Such beggars as he are not to be met with every day. A *trouvaille, mon cher*; a living Velasquez! My stars! what an etching Rembrandt would have made of him!'

'Poor old chap!' said Hughie, 'how miserable he looks! But I suppose, to you painters, his face is his fortune?'

'Certainly,' replied Trevor, 'you don't want a beggar to look happy, do you?'

'How much does a model get for sitting?' asked Hughie, as he found himself a comfortable seat on a divan.

'A shilling an hour.'

uniche persone che un pittore deve conoscere" soleva dire "sono quelle *bêtes* ma belle, così gradevoli all'occhio e così riposanti per la mente. Sono i dandy e le donne adorabili a governare il mondo, o almeno dovrebbero!" Dopo che lo conobbe meglio, tuttavia, Hughie gli piacque anche per il suo spirito vivace e ottimista e per il suo carattere generoso e altruista e, di conseguenza, gli aveva fatto capire che poteva capitare nel suo studio quando voleva.

Entrando, Hughie vi trovò Trevor intento ad aggiungere i tocchi finali a uno splendido ritratto, in grandezza naturale, di uno straccione. Lo straccione in persona era in piedi in un angolo dello studio, su una pedana elevata. Era un vecchietto avvizzito, con un volto che assomigliava a una pergamena raggrinzita e con un'espressione sul viso che attirava una grande pietà. Sulle spalle portava un rozzo mantello marrone, tutto strappi e toppe; i suoi robusti stivali erano stati rattoppati e chiodati, con una mano si appoggiava a un ruvido bastone di legno mentre con l'altra tendeva un cappello sgualcito, chiedendo l'elemosina.

«Che modello incredibile!» sussurrò Hughie all'amico mentre gli stringeva la mano.

«Un modello incredibile?» disse Trevor ad alta voce. «Lo credo bene! Straccioni come lui non s'incontrano ogni giorno. Una *trouvaille, mon cher*. Un Velasquez in carne e ossa! Dio solo sa che disegno avrebbe ricavato Rembrandt, da un modello simile!»

«Poveretto!» disse Hughie. «Come sembra triste! Ma per voi artisti conta soltanto il viso, vero?»

«Certamente» rispose Trevor «non t'aspetterai un'espressione allegra sul volto di un pezzente, no?»

«Quanto guadagna un modello per ogni posa?» chiese Hughie, mentre si sedeva nell'angolo più comodo del divano.

«Uno scellino l'ora.»

'And how much do you get for your picture, Alan?'
'Oh, for this I get two thousand!'
'Pounds?'
'Guineas. Painters, poets, and physicians always get guineas.'
'Well, I think the model should have a percentage,' cried Hughie, laughing; 'they work quite as hard as you do.'
'Nonsense, nonsense! Why, look at the trouble of laying on the paint alone, and standing all day long at one's easel! It's all very well, Hughie, for you to talk, but I assure you that there are moments when Art almost attains to the dignity of manual labour. But you mustn't chatter; I'm very busy. Smoke a cigarette, and keep quiet.'
After some time the servant came in, and told Trevor that the frame-maker wanted to speak to him.
'Don't run away, Hughie,' he said, as he went out, 'I will be back in a moment.'
The old beggar-man took advantage of Trevor's absence to rest for a moment on a wooden bench that was behind him. He looked so forlorn and wretched that Hughie could not help pitying him, and felt in his pockets to see what money he had. All he could find was a sovereign and some coppers. 'Poor old fellow,' he thought to himself, 'he wants it more than I do, but it means no hansoms for a fortnight;' and he walked across the studio and slipped the sovereign into the beggar's hand.
The old man started, and a faint smile flitted across his withered lips. 'Thank you, sir,' he said, 'thank you.'
Then Trevor arrived, and Hughie took his leave, blushing a little at what he had done. He spent the day with Laura, got a charming scolding for his extravagance, and had to walk home.

«E quanto chiedi per un tuo quadro, Alan?»
«Beh, per questo qui... almeno duemila.»
«Sterline?»
«No, ghinee. I pittori e i poeti, come i medici, si pagano in ghinee.»
«Allora io penso che il modello dovrebbe ricevere una percentuale» esclamò Hughie, ridendo «poiché lavora con lo stesso tuo impegno.»
«Che assurdità! Ma hai pensato a quanto è faticoso soltanto stendere il colore e starsene in piedi tutto il santo giorno davanti al cavalletto? Fai presto tu, Hughie, a parlare, ma ti assicuro che ci sono momenti in cui l'arte raggiunge quasi la dignità di un lavoro manuale. Ora ti prego, basta con le chiacchiere... ho molto da fare. Accenditi una sigaretta e... silenzio!»
Dopo un po', entrò un domestico e informò Trevor che era atteso dal corniciaio.
«Non fuggire, Hughie» disse Trevor all'amico «torno subito.»
Il vecchio mendicante approfittò dell'assenza momentanea di Trevor per riposarsi un attimo sulla panchina di legno che gli stava dietro. Aveva un aspetto così triste e miserabile che Hughie non riuscì a fare a meno di commiserarlo, e tastò nelle tasche in cerca di una moneta da regalargli. Riuscì a trovare soltanto una sovrana e qualche spicciolo. "Poveraccio" pensò tra sé "ne ha bisogno più di me, anche se per me significa rinunciare alla carrozza per due settimane." Attraversò lo studio per posare la sovrana nella mano dello straccione.
Il vecchio sobbalzò, e un lieve sorriso gli si dipinse sulle labbra rugose. «Grazie signore» disse «grazie mille.»
Trevor tornò subito dopo e Hughie si congedò, arrossendo un po' per l'azione appena compiuta. Passò il resto della giornata in compagnia di Laura, da cui ricevette un'affettuosa predica per il suo gesto stravagante, e dovette tornare a casa a piedi.

That night he strolled into the Palette Club about eleven o'clock, and found Trevor sitting by himself in the smoking-room drinking hock and seltzer.

'Well, Alan, did you get the picture finished all right?' he said, as he lit his cigarette.

'Finished and framed, my boy!' answered Trevor; 'and, by-the-bye, you have made a conquest. That old model you saw is quite devoted to you. I had to tell him all about you – who you are, where you live, what your income is, what prospects you have ——'

'My dear Alan,' cried Hughie, 'I shall probably find him waiting for me when I go home. But of course you are only joking. Poor old wretch! I wish I could do something for him. I think it is dreadful that any one should be so miserable. I have got heaps of old clothes at home – do you think he would care for any of them? Why, his rags were falling to bits.'

'But he looks splendid in them,' said Trevor. 'I wouldn't paint him in a frock-coat for anything. What you call rags I call romance. What seems poverty to you is picturesqueness to me. However, I'll tell him of your offer.'

'Alan,' said Hughie seriously, 'you painters are a heartless lot.'

'An artist's heart is his head,' replied Trevor; 'and besides, our business is to realise the world as we see it, not to reform it as we know it. *À chacun son métier*. And now tell me how Laura is. The old model was quite interested in her.'

'You don't mean to say you talked to him about her?' said Hughie.

'Certainly I did. He knows all about the relentless colonel, the lovely Laura, and the £10,000.'

Quella sera alle undici si recò al Club della Tavolozza e vi trovò Trevor seduto da solo nella sala da fumo con in mano un bicchiere di vino bianco del Reno allungato con un po' di seltz.

«Allora, Alan, l'hai finito quel ritratto?» gli chiese mentre si accendeva una sigaretta.

«Finito e incorniciato, mio caro» rispose Trevor «e, a proposito, vorrei annunciarti che oggi hai fatto una conquista. Quel vecchio modello ti si è affezionato in un modo incredibile. Ho dovuto raccontargli la storia della tua vita, sai com'è: chi sei, dove abiti, quanto guadagni, quali prospettive nutri per l'avvenire...»

«Ma... Alan!» gridò Hughie «ora me lo troverò ad attendermi all'uscio di casa! Ma scherzi, vero? Poveraccio! Vorrei poter fare qualcosa per lui. Non è giusto che qualcuno si trovi in quelle infauste condizioni. A casa ho un mucchio di vestiti che ormai non porto più... credi che li gradirebbe? Voglio dire, hai notato com'erano rattoppati, i suoi?»

«Eppure gli fan fare una splendida figura!» rispose Trevor. «Non lo dipingerei mai in frac. Tu la chiami miseria, io... fascino. Quello che a te sembra povertà, per me è pittoresco. Lo informerò, tuttavia, della tua offerta.»

«Alan» disse con grande serietà Hughie «voi pittori siete gente senza cuore.»

«Il cuore di un artista è il suo cervello» rispose Trevor «e d'altronde, il nostro compito è quello di raffigurare il mondo così come lo vediamo, e non di cambiarlo così come lo conosciamo. *À chacun son métier*. E ora, dimmi di Laura. Come sta? Il vecchio modello era piuttosto interessato a lei.»

«Non vorrai mica dire che gli hai parlato di Laura?»

«Certo che l'ho fatto. Sa tutto a proposito dell'inflessibile colonnello, della meravigliosa Laura e delle diecimila sterline.»

'You told that old beggar all my private affairs?' cried Hughie, looking very red and angry.

'My dear boy,' said Trevor, smiling, 'that old beggar, as you call him, is one of the richest men in Europe. He could buy all London to-morrow without overdrawing his account. He has a house in every capital, dines off gold plate, and can prevent Russia going to war when he chooses.'

'What on earth do you mean?' exclaimed Hughie.

'What I say,' said Trevor. 'The old man you saw today in the studio was Baron Hausberg. He is a great friend of mine, buys all my pictures and that sort of thing, and gave me a commission a month ago to paint him as a beggar. *Que voulez-vous? La fantaisie d'un millionnaire!* And I must say he made a magnificent figure in his rags, or perhaps I should say in my rags; they are on old suit I got in Spain.'

'Baron Hausberg!' cried Hughie. 'Good heavens! I gave him a sovereign!' and he sank into an armchair the picture of dismay.

'Gave him a sovereign!' shouted Trevor, and he burst into a roar of laughter. 'My dear boy, you'll never see it again. *Son affaire c'est l'argent des autres*.'

'I think you might have told me, Alan,' said Hughie sulkily, 'and not have let me make such a fool of myself.'

'Well, to begin with, Hughie,' said Trevor, 'it never entered my mind that you went about distributing alms in that reckless way. I can understand your kissing a pretty model, but your giving a sovereign to an ugly one – by Jove, no! Besides, the fact is that I

«E tu hai raccontato la mia vita privata a quel vecchio mendicante?» gridò Hughie, assumendo un'aria furibonda e indignata.

«Mio caro ragazzo,» disse Trevor, sorridendo «quel vecchio mendicante, come lo chiami tu, è uno degli uomini più ricchi d'Europa. Potrebbe comprare l'intera Londra domani mattina e il suo portafogli non ne risentirebbe neppure. Possiede palazzi in ogni capitale del mondo, mangia su piatti d'oro e, se lo vuole, può impedire alla Russia di entrare in guerra!»

«Ma che diavolo intendi dire?» esclamò Hughie.

«Esattamente quanto ti ho detto» disse Trevor. «Il vecchio che hai visto oggi nel mio studio è il barone Hausberg. È un mio caro amico, compra spesso i miei quadri e un mese fa mi ha commissionato un suo ritratto in veste da mendicante. *Que voulez-vous? La fantaisie d'un millionaire*! E, debbo dire, una certa figura la fa nei suoi stracci, anzi nei miei. Si tratta di un vecchio vestito che ho comprato in Spagna.»

«Il barone Hausberg!» esclamò Hughie. «Santo cielo! E io gli ho dato una sovrana!» e così dicendo sprofondò in una poltrona con aria sconsolata.

«Gli hai dato una sovrana!» esclamò Trevor, scoppiando in una fragorosa risata. «Mio caro ragazzo, ora non la rivedrai mai più. *Son affaire c'est l'argent des autres*.»

«Me lo potevi dire, Alan» disse Hughie con un tono di rimprovero «avrei così evitato quella magra figura.»

«Be', tanto per cominciare, Hughie, non mi è minimamente passato per la testa che tu andassi in giro a distribuire elemosine in quel modo stravagante. Ti avrei capito se avessi voluto baciare una modella graziosa, ma regalare una sovrana a un modello, e per giunta brutto, questa poi! D'altronde, avevo la-

really was not at home to-day to any one; and when you came in I didn't know whether Hausberg would like his name mentioned. You know he wasn't in full dress.'

'What a duffer he must think me!' said Hughie.

'Not at all. He was in the highest spirits after you left; kept chuckling to himself and rubbing his old wrinkled hands together. I couldn't make out why he was so interested to know all about you; but I see it all now. He'll invest your sovereign for you, Hughie, pay you the interest every six months, and have a capital story to tell after dinner.'

'I am an unlucky devil,' growled Hughie. 'The best thing I can do is to go to bed; and, my dear Alan, you mustn't tell any one. I shouldn't dare show my face in the Row.'

'Nonsense! It reflects the highest credit on your philanthropic spirit, Hughie. And don't run away. Have another cigarette, and you can talk about Laura as much as you like.'

However, Hughie wouldn't stop, but walked home, feeling very unhappy, and leaving Alan Trevor in fits of laughter.

The next morning, as he was at breakfast, the servant brought him up a card on which was written, 'Monsieur Gustave Naudin, *de la part de* M. le Baron Hausberg.' 'I suppose he has come for an apology,' said Hughie to himself; and he told the servant to show the visitor up.

An old gentleman with gold spectacles and grey hair came into the room, and said, in a slight French accent, 'Have I the honour of addressing Monsieur Erskine?'

Hughie bowed.

'I have come from Baron Hausberg,' he continued. 'The Baron ——'

sciato detto ai domestici che non volevo essere disturbato e, quando sei entrato tu, non sapevo se al barone Hausberg avrebbe fatto piacere che ti svelassi la sua identità. Come sai, non era proprio vestito in frac!»

«Ora starà pensando che sono un perfetto idiota!» borbottò Hughie.

«Per niente. Era di ottimo umore quando te ne sei andato: non faceva che ridere e fregarsi le vecchie mani rugose. Non riuscivo a capire perché fosse così interessato ai fatti tuoi, ma adesso lo so. Investirà a tuo nome la sovrana, Hughie, e ti pagherà gli interessi ogni sei mesi, e avrà così una storiella magnifica da raccontare dopo cena.»

«Sono un povero disgraziato» borbottò Hughie. «È meglio che me ne vada subito a letto. E, mi raccomando, Alan, non raccontarlo a nessuno. Non avrei più il coraggio di passeggiare nel Row.»

«Sciocchezze! Il tuo gesto proietta una luce lusinghiera sulla tua natura filantropica, Hughie. E non fuggire via! Fuma un'altra sigaretta e parlami di Laura quanto vuoi.»

Hughie tuttavia non si fermò, ma tornò a casa, sentendosi profondamente infelice, e lasciò Alan Trevor al club che ancora rideva.

Il mattino seguente, a colazione, un domestico gli portò un biglietto su cui era scritto: «Monsieur Gustave Naudin, *de la part de* M. le Baron Hausberg». "Sarà venuto qui a esigere le mie scuse" pensò Hughie, e ordinò al domestico di far entrare il visitatore.

Entrò allora un vecchio signore dagli occhiali cerchiati d'oro e dai capelli grigi che disse, con un leggero accento francese: «Ho l'onore di rivolgermi a Monsieur Erskine?».

Hughie s'inchinò.

«Vengo da parte del barone Hausberg» proseguì. «Il barone...»

'I beg, sir, that you will offer him my sincerest apologies,' stammered Hughie.

'The Baron,' said the old gentleman, with a smile, 'has commissioned me to bring you this letter;' and he extended a sealed envelope.

On the outside was written, 'A wedding present to Hugh Erskine and Laura Merton, from an old beggar,' and inside was a cheque for £10,000.

When they were married Alan Trevor was the best-man, and the Baron made a speech at the wedding-breakfast.

'Millionaire models', remarked Alan, 'are rare enough; but, by Jove, model millionaires are rarer still!'

«La prego, signore, di porgergli le mie scuse più sentite» balbettò Hughie.

«Il barone» disse il vecchio signore sorridendo «mi ha incaricato di recapitarle questa lettera» e gli tese una busta sigillata.

Sull'esterno era scritto: «Regalo di nozze per Hugh Erskine e Laura Merton, da parte di un vecchio mendicante»; all'interno si trovava un assegno di diecimila sterline.

Quando si sposarono, Alan Trevor fece da testimone, e il barone tenne un discorso in loro onore alla fine del rinfresco.

«I modelli milionari» osservò Alan «sono abbastanza rari, ma, per Giove, i milionari modello lo sono ancora di più!»